KB118562

예비 고등~고등3

수능 개념을 바탕
으로 실전 감각을
길러요

독서, 고난도 독서
기출 개념을 익히고
학습하는 수능 예상
문제집

독서 기본, 독서
기출로 실전 감각을
키우는 기출문제집

예비 중등~중등3

영역별 독해 전략을
바탕으로 독해력을
강화해요

비문학 1~3권
독해력을 단계
별로 단련하는
중등 독해

어휘편 1~3권
중등 전 과목
교과서 필수 어휘
학습

문학편 1~3권
감상 스킬을
단련하는 필수
작품 독해

초등3~예비 중등

본격적으로
학습 독해 실력을
쌓아요

**비문학 시작편
1~2권**
초등에서 처음 만
나는 수능 독해의
기본

비문학 1~2권
초등 독해의 넥스
트레벨 고급 독해

문학 1~3권
시험에 꼭 나오
는 작품 독해

세상이 변해도
배움의 즐거움은
변함없도록

시대는 빠르게 변해도
배움의 즐거움은
변함없어야 하기에

어제의 비상은
남다른 교재부터
결이 다른 콘텐츠
전에 없던 교육 플랫폼까지

변함없는 혁신으로
교육 문화 환경의 새로운 전형을
실현해왔습니다.

비상은 오늘, 다시 한번
새로운 교육 문화 환경을 실현하기 위한
또 하나의 혁신을 시작합니다.

오늘의 내가 어제의 나를 초월하고
오늘의 교육이 어제의 교육을 초월하여
배움의 즐거움을 지속하는 혁신,

바로, 메타인지 기반 완전 학습을.

상상을 실현하는 교육 문화 기업 비상

메타인지 기반 완전 학습
초월을 뜻하는 meta와 생각을 뜻하는 인지가 결합한 메타인지는
자신이 알고 모르는 것을 스스로 구분하고 학습계획을 세우도록 하는
궁극의 학습 능력입니다. 비상의 메타인지 기반 완전 학습 시스템은
잠들어 있는 메타인지를 깨워 공부를 100% 내 것으로 만들도록 합니다.

초등

수능 독해

문학 3 | 삼국 시대부터
조선 시대까지

메인북

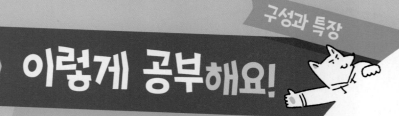

구성과 특장

이렇게 공부해요!

메인북 을 완벽하게 활용하는 방법

수능 필수 문학 작품을 한눈에 보는
작품 비주얼

작품의 주요 장면 위주로
지문 학습

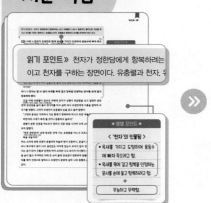

내용 이해를 완벽하게 확인하는
문제 학습

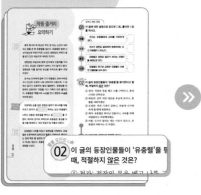

✶ **작품 비주얼▶** 작품의 주요 인물을 중심으로 정리된 사건, 배경, 소재 및 표현 방식을 읽으며 작품 전체의 내용을 머릿속으로 그려 봅니다.

✶ **읽기 포인트▶** 지문을 읽을 때 확인해야 하는 내용을 짚어 봅니다.

✶ **별별 포인트▶** 반드시 문제로 나오는 핵심 내용을 바로바로 정리합니다.

✶ **작품 줄거리 요약하기▶** 작품의 전체 줄거리를 읽으며 내용을 다시 확인합니다.

✶ **오엑스 확인 문제▶** 갈래별 기본 요소와 관련된 문제를 풀며 작품을 정리합니다.

✶ **별별 포인트 문제▶** 지문의 핵심 내용이 어떻게 문제로 나오는지 확인하며 풀어 봅니다.

왜 **초등 수능독해 문학**으로
공부해야 할까요?

작품 수준
★ 난이도 급상승

수능

고등
반복·심화

중등
반복·심화

초등 5-6학년

중등·고등·수능에 반복하여 나오는 문학 작품을 초등 고학년부터
학습할 수 있는 책이 바로 **초등 수능독해 문학**이랍니다.

가이드북 을 완벽하게 활용하는 방법

문학 독해의 어휘력을 높이는

어휘로 마무리

문학 작품 목록을 한눈에 보는

수록 작품

정답은 빠르게 해설은 친절하게

가이드북

✶ 어휘 문제▶ 한 챕터가 끝날 때마다 어휘 문제를 풀어 보면서 문학 작품에 나오는 어휘들을 정리합니다.

✶ 한줌 Hint!▶ 힌트를 보면 문제를 푸는 데 도움을 얻을 수 있습니다.

✶ 수록 작품▶ 『초등 수능독해』에 실린 문학 작품은 중등 교과서, 고등 교과서, 수능, 모의 평가, 학력 평가에 반복하여 나오는 중요한 작품이랍니다. 어디에 나왔던 작품인지 한눈에 확인할 수 있습니다.

✶ 정답과 해설▶ 왼편에서 정답만 빠르게 확인할 수도 있고, 오른편에서 자세한 해설을 보며 정답을 찾는 방법을 확인할 수도 있습니다.

✶ 〈보기〉 돋보기▶ 고난도 문제로 꼽히는 〈보기〉형 문제! 〈보기〉의 내용까지 꼼꼼하게 확인할 수 있습니다.

문학 ③ 차례 삼국 시대부터 조선 시대까지

함께 공부하면 좋아요!

 차례

별별

인물

01
유충렬전
작자 미상

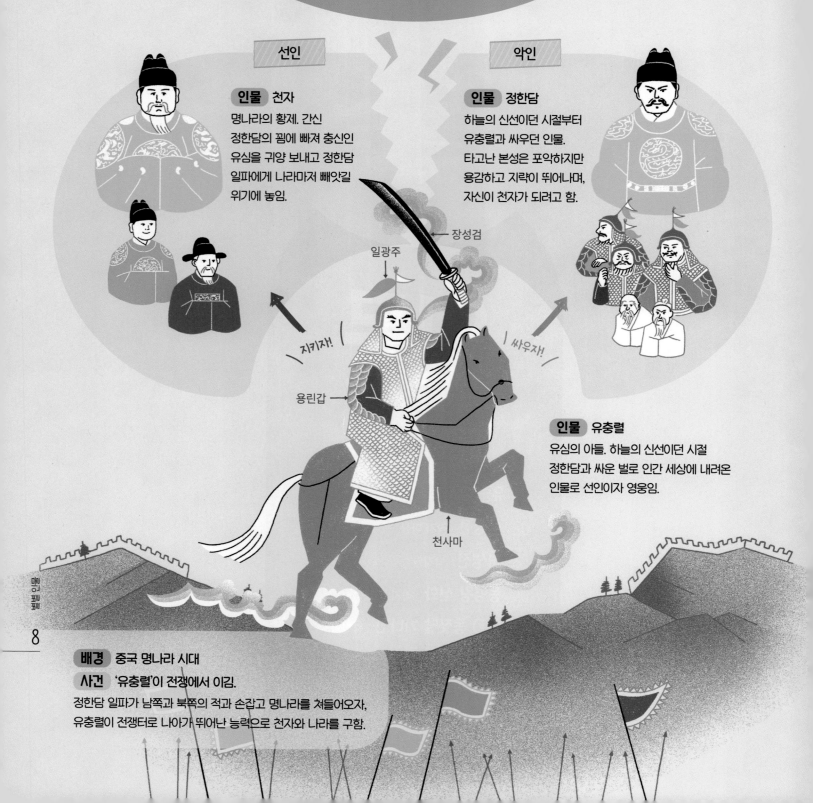

선인

인물 천자
명나라의 황제. 간신
정한담의 꾐에 빠져 충신인
유심을 귀양 보내고 정한담
일파에게 나라마저 빼앗길
위기에 놓임.

악인

인물 정한담
하늘의 신선이던 시절부터
유충렬과 싸우던 인물.
타고난 본성은 포악하지만
용감하고 지략이 뛰어나며,
자신이 천자가 되려고 함.

장성검

일광주

지키자!

싸우자!

용린갑

인물 유충렬
유심의 아들. 하늘의 신선이던 시절
정한담과 싸운 벌로 인간 세상에 내려온
인물로 선인이자 영웅임.

천사마

배경 중국 명나라 시대
사건 '유충렬'이 전쟁에서 이김.
정한담 일파가 남쪽과 북쪽의 적과 손잡고 명나라를 쳐들어오자,
유충렬이 전쟁터로 나아가 뛰어난 능력으로 천자와 나라를 구함.

읽기 포인트 》 천자가 정한담에게 항복하려는 순간 유충렬이 나타나 영웅적인 활약으로 적군을 죽이고 천자를 구하는 장면이다. 유충렬과 천자, 유충렬과 정한담의 관계를 파악하며 읽어 보자.

#1 이때 ✮천자가 조정만과 함께 옥새를 가지고 도망하여 용등수에 빠져 죽으
└ 하늘을 대신하여 천하를 다스리는 사람.　└ 국가의 권력을 상징하는 임금의 도장.
려 했으나 적진을 벗어날 수 없어 어쩔 줄 몰랐다. 문득 북에서 아주 많은 군사와
└ 적이 싸우기 위해 부대를 배치한 곳.
말이 오며 천자를 부르거늘 천자가 자신을 도울 군사가 오는가 반겼더니, 마룡이

진공이라는 도사를 데리고 천자를 치러 억만 군대를 거느리고 한번에 들어왔다.

정한담은 벼슬아치들을 거느린 천자가 되어, 최일귀는 대장이 되어 군대를 이끌

고 오는 모습이 매우 웅장했다.
　　　　　　└ 규모가 거대하고 성대했다.
　선봉장인 정문걸이 명나라를 도우러 온 병사들을 한칼에 다 무찌르고 만족한
└ 제일 앞에 진을 친 부대를 지휘하는 장수.
표정으로 명나라의 진영에 들어와,
　　　　　　└ 군대가 진을 치고 있는 곳.

　　"천자야 항복하라! 내 칼에 너희 군사들이 다 죽었고 또한 우리에게는 다른 군

　　대도 있으니 네가 어찌 당할쏘냐. 빨리 나와 항복하고 너의 어머니와 아들을 찾

　　아가라."

하니 ✮천자는 할 수 없이 옥새를 목에 걸고 항복을 인정하는 문서를 손에 들고

항복하려 했다.

　각설 이때 유충렬이 금산성 아래에 있다가 상황이 위급함을 보고 일광주 용린
└ 이제까지 다루던 내용을 그만두고 화제를 돌림.
갑에 장성검을 높이 들고 천사마를 타고 급히 와서 조정만에게 이름을 말하며 싸

우기를 청했다. 그러자 조정만이 유충렬의 손을 잡고 울며 말했다.

　　"그대의 충성은 지극하나 지금 황제가 항복하려 하시고 또한 적들의 기세가 저

　　러한지라 그대가 죽게 될 것이니 원통하고 슬프다."

　충렬이 분한 감정을 억누르지 못하고 진문 밖을 나서며 크게 소리쳐 적장을 부

르며 말했다.

　　"역적 정한담아! 남경 동성문 안에 사는 유충렬을 아느냐 모르느냐. 빨리 나와
└ 나라나 민족을 배신한 사람.
　　목을 내놓아라."

하는 소리에 양쪽 진영이 흔들리며 하늘과 땅이 진동하니, 문걸이 크게 놀라 돌아

보니 투구에서 빛이 나고 용린갑은 어디에 있는지 보이지 않고 천사마는 하늘을

나는 용이 되어 구름과 안개에 싸여 소리만 나고 보이지 아니했다. 문걸이 창과 검

을 높이 들고 주저하던 차에 큰 소리 끝에 장성검이 번뜻하며 충렬이 정문걸의 머

리를 베어 진영으로 달려드니 조정만이 문밖에 급히 나와 충렬의 손을 잡고 들어

갔다.

★ 별별 포인트 ★

〈 '천자'의 인물됨 〉

- 옥새를 가지고 도망하여 용등수
　에 빠져 죽으려고 함.
- 옥새를 목에 걸고 항복을 인정하는
　문서를 손에 들고 항복하려고 함.

↓

무능하고 무력함.

#1 핵심 태그

#　　　　가 정한담
일파에게 항복하려는 순간
유충렬이 나타나 적의 선봉장을
물리침

#2 이때 천자가 항복하러 진영을 나오다가 누군가 문걸의 머리를 들고 들어가

거늘, 크게 놀라고 기쁜 마음에 조정만을 급히 불러 말했다.

"적장의 목을 벤 장수 이름이 무엇이냐? 빨리 불러들여라."

충렬이 말에서 내려 천자 앞에 엎드리되, 천자가 급히 물었다.

"그대는 누구인데 죽을 사람을 살리는가?"

충렬이 자신의 부친과 강희주의 죽음을 몹시 원통하게 여겨 통곡하며 여쭈었다.

"소장은 동성문 안에 살던 정언 주부 유심의 아들 충렬이옵니다. 돌아다니며 빌
_{장수가 자신을 낮추어 이르는 말.}
어먹다가 아비 원수를 갚으려고 왔습니다. 예전에 폐하께서 정한담을 충신이

라 하시더니 충신도 역적이 됩니까? 그놈의 말을 듣고 충신을 귀양 보내고 이런
_{죄인을 먼 시골이나 섬으로 보내어 그곳에서만 살게 하던 형벌.}
어려움을 당하시니 하늘과 땅이 아득하고 해와 달은 빛을 잃었습니다."
_{보이는 것이나 들리는 것이 희미하고 매우 멀고.}
충렬이 슬피 통곡하며 머리를 땅에 두드리니 진영에 있는 사람 중에 눈물을 흘

리지 않는 자가 없었다.

천자 이 말을 들으시고 후회막급 할 말 없이 앉았더니, 태자가 적진에 잡혀갔다
_{이미 잘못한 뒤에 아무리 후회하여도 다시 어찌할 수가 없음.} _{황제의 자리를 이을 황제의 아들.}
가 문걸을 물리친 것을 보고 급히 도망 나와 충렬의 손을 붙잡고 말했다.

"경이 이게 웬 말인가. 옛날 주성왕도 다른 사람의 말을 듣고 충신을 의심한 잘
_{임금이나 세자가 신하를 가리키던 말.}
못을 뉘우치고 어진 임금이 되었다고 하는데 충신이 죽는 것은 하늘이 정한 운

명이라. 그런 말을 하지 말고 충성을 다하여 황제를 도우시면 태산 같은 공로를

잊지 않을 것이며 하해 같은 은혜는 죽은 뒤에라도 갚으리라."
_{큰 강과 바다를 아울러 이르는 말.}
충렬이 울음을 그치고 태자 얼굴을 보니 천자의 기상이 확실하고 어질고 덕이
_{사람이 타고난 기개나 마음씨.}
있는 임금이 될 듯하여 투구 벗어 땅에 놓고 천자 앞에 사죄하며 말했다.

"소장이 아비의 죽음이 원통하여 분한 마음에 격렬한 말씀을 폐하 앞에 아뢰었
_{말이나 행동이 세차고 사나운.}
으니 죽을죄를 지었습니다. 소장이 죽사온들 폐하를 돕지 아니하오리까?"

천자가 충렬의 말을 듣고 투구를 씌워 주면서 손을 잡고 말했다.

"과인은 보지 말고 그대의 조상을 생각하여 나라를 도와주면 태자의 말대로 그
_{임금이 자기를 낮추어 이르는 말.}
대 공을 갚으리라."

충렬이 명령을 듣고 물러 나와 남아 있는 군사를 보니 피로하고 병든 장수와 군

사뿐이고 그 숫자도 불과 일이백 명이었다. 천자가 삼 층에 올라 하늘에 제사를
_{임금이 병마를 이끌던 장수에게 주던 검.}
지내고 충렬에게 인검을 주었다. 그리고 군대를 지휘할 때 쓰는 깃발에 손수 '대명

국 대사마 도원수 유충렬'이라 뚜렷이 써 주니 충렬은 천자에게 감사를 표시했다.

충렬은 군사를 배치하는 방법을 시험하고 군사들에게 명령하되,

"적군이 억만 명이라도 나 혼자 맞설 것이니 너희들은 대열을 지켜라."

★ 별별 포인트 ★

< '유충렬'의 강직한 성품 >

'유충렬'이 지적한 '천자'의 잘못

• 역적 정한담을 충신이라고 잘못
판단한 일

• 충신인 자신의 아버지 유심을 몰
라보고 귀양 보낸 일

⇒ 황제인 천자에게 잘못한 일에 대
한 책임을 묻고 있는 것으로 보아, 유충
렬이 강직한 성품을 지녔음을 알 수
있음.

#2 핵심 태그

 # _____ 와 천자가

유충렬에게 나라를 위해 싸워
줄 것을 부탁하며 도원수로
임명함

#3 적진에서 문걸의 죽음을 보고 한 무리의 군사가 서로 나와 싸우려 할 때 적군의 대장 최일귀가 화를 이기지 못해 녹포운갑에 백금 투구를 쓰고 장창대검을
_{긴 창과 큰 칼.}
오른손과 왼손에 각각 들고 적다마를 타고 나는 듯이 달려들며 말했다.
_{몸 전체의 털색이 밤색이거나 불그스름한 말.}

"적장 유충렬아! 네가 아직 철이 없어 억만 군을 무시하니 빨리 나와 죽어 보라."

충렬이 장대에 있다가 최일귀란 말을 듣고 급히 나와 반응을 보이되,

"정한담은 어디 가고 너만 나왔느냐? 너희 두 놈을 죽여 우리 부모님 영혼 앞에 바치리라."

소리치고 달려들자 장성검이 번뜻하며 최일귀가 가진 장창대검이 산산이 부서지니, 최일귀가 크게 놀라 쇠몽둥이로 치려 했지만 충렬이 보이지 않았다. 적진에 있던 옥관 도사가 싸움을 구경하다가 크게 놀라 급히 군사를 후퇴시키니, 최일귀가 겨우 본진으로 돌아와 정신을 잃었는지라.
_{지휘를 하던 본부가 있던 곳.}

이때 적군의 앞자리에 섰던 마룡은 천하의 명장이었다. 마룡은 충렬을 잡지 못하고 돌아오게 된 것을 분하게 여기며 말했다.
_{이름난 장수(군사를 거느리는 우두머리).}

"대장은 어찌 조그마한 아이를 살려 두고 오십니까? 소장이 잡아 오겠습니다."
하거늘 도사 진진이 나와 마룡의 말머리를 붙잡고 말했다.

"대장은 가지 마옵소서, ✼유충렬의 갑주 창검을 보니 용궁에서 만든 솜씨라. 수년 전에 대장성이 남경에 떨어지더니, 이제 검술을 보니 북두성 대장성이 칼 빛을 응하며, 일관주 용린갑은 몸을 가렸으니 사람은 하늘의 신이요, 말은 하늘을 나는 용이니 누가 당하리오."

마룡이 화를 내며 도사를 꾸짖으며 말했다.

"대장부 앞에 간사한 도사가 무슨 잔말이냐, 빨리 물러서라."
_{자기의 이익을 위하여 나쁜 꾀를 부리는 등 마음이 바르지 않은.}

진진이 예언하되 머지않아 큰 재난이 있을지라 그 길로 도망가 싸움을 구경했다.
_{앞으로 다가올 일을 미리 알거나 짐작하여 말하되.}

이때에 마룡이 왼손에 삼천 근이나 되는 쇠몽둥이를 들고 오른손에 창과 칼을
_{무게의 단위. 고기는 600그램, 과일이나 채소는 375그램.}
들고 큰 소리를 지르며 나와 충렬과 싸우더니, 일광주의 빛에 쏘여 두 눈이 컴컴하여 정신이 없는지라. 충렬을 치려 하니 장성검이 번뜻하며 마룡의 손을 치니, 쇠몽둥이 든 팔이 땅에 떨어졌다. 마룡이 크게 놀라 오른손에 잡은 칼을 휘둘렀으나 길고 긴 칼이 낱낱이 부서져 빈 자루만 남은지라. 제 아무리 유명하다고 해도 충렬을 당할 수가 없었다. 본진으로 도망가려고 할 즈음에 천둥 같은 소리가 들리며 장성검이 번뜻하며 곧 마룡의 머리를 안개 속에서 베어 내니 목은 본진에, 몸은 적진에 던지며 충렬이 말하길,

"여봐라, 정한담아! 너도 빨리 나와라. 네 놈도 이같이 죽이리라."

★ 별별 포인트 ★

< '유충렬'의 비범한 면모 >

'유충렬'에 대한 '진진'의 평가

- 유충렬의 갑옷과 투구, 창과 칼은 용궁에서 만든 것임.
- 유충렬은 하늘의 신이고, 말은 하늘의 용임.

➜ 최일귀와 싸운 유충렬을 본 적군의 도사 진진은, 유충렬이 하늘의 신이며 전쟁에서 유충렬이 이길 것이라고 예언함.

#3 핵심 태그

#＿＿＿의 비범함을 알아본 도사 진진이 말리는데도 유충렬과 싸우다 죽는 마룡

작품 줄거리 요약하기

중국 명나라 때 유심의 부인 장 씨는 신선이 내려오는 꿈을 꾼 후 유충렬을 낳는다. 유충렬은 원래 신선이었는데 마찬가지로 신선인 정한담과 싸우다 벌을 받고 인간 세상으로 내려온 것이다.

정한담은 최일귀와 함께 천자에게 오랑캐를 치자고 하고, 유심은 오랑캐가 강하니 치지 말자고 한다. 정한담은 이를 빌미로 유심을 역적으로 몰아 귀양 보낸다.

장 씨는 도적에게 잡혀 가고 유충렬도 강에 버려졌으나 간신히 도망쳐 나와 강희주의 도움으로 그 집에서 살다가 강희주의 딸과 결혼한다. 정한담을 비판하다 강희주도 귀양을 가고 가족이 모두 흩어진다. 유충렬은 백룡사의 노승을 만나 병법과 도술을 익히게 된다.

오랑캐와 손을 잡은 정한담 일파가 명나라를 쳐들어오고 천자가 1 ☐☐ 하려는 순간 유충렬이 나타나 선봉장 정문걸을 죽이고 2 ☐☐ 를 구한다. 태자와 천자의 부탁으로 유충렬은 충성을 다할 것을 맹세하고, 적군 최일귀 및 마룡과 싸운다.

유충렬은 나라를 되찾고 정한담을 처형한다. 유충렬은 오랑캐에게 잡혀갔던 황후도 구하는데, 돌아오는 길에 죽은 줄 알았던 부모와 장인 강희주를 만나고 아내도 찾는다. 유충렬은 높은 벼슬을 얻고 부귀영화를 누린다.

오엑스 확인 문제

01 이 글에 대한 설명으로 맞으면 ○표, 틀리면 ✕표를 하시오.

인물 천자는 유충렬에게 군대를 지휘하게 한다. ☐

사건 천자가 정한담 일파에게 항복하려는 순간 유충렬이 나타난다. ☐

배경 유충렬과 정한담 일파가 싸우는 전쟁터를 배경으로 한다. ☐

소재 유충렬의 투구와 갑옷은 유충렬이 비범한 인물임을 보여 준다. ☐

02 이 글의 등장인물들이 '유충렬'을 평가한다고 할 때, 적절하지 <u>않은</u> 것은?

① 천자: 적장의 목을 베고 나를 구하다니, 충성스러운 신하로군.
② 최일귀: 감히 억만 대군을 우습게 보다니, 혼쭐을 내줘야겠군.
③ 조정만: 적의 기세가 강하니, 싸움에 나가면 죽게 될 텐데 원통하군.
④ 태자: 유충렬은 뛰어난 인물이니, 나라를 위해 싸워달라고 부탁해야겠군.
⑤ 마룡: 도사가 말리는 데는 이유가 있으니, 유충렬과 싸워서는 안 되겠군.

03 이 글에 대한 설명으로 적절한 것은?

① 조정만은 정한담을 천자로 모시고 있다.
② 태자는 적진에 잡혀가서 돌아오지 못하고 있다.
③ 최일귀는 유충렬에게 패하여 목숨을 잃고 만다.
④ 옥관 도사는 유충렬이 다칠까 봐 싸움을 중지시키고 있다.
⑤ 진진은 유충렬이 하늘에서 내려온 인물임을 알아보고 도망치고 있다.

04 '유충렬'의 비범함을 보여 주는 내용이 아닌 것은?

① 적군의 장수들을 단숨에 무찌른다.
② 하늘의 용과 같은 말을 타고 다닌다.
③ 적군에게 보이지 않도록 몸을 감춘다.
④ 용궁에서 만든 갑옷과 무기를 사용한다.
⑤ 적군이 있는 곳에 비바람이 몰아치게 한다.

05 다음에서 설명하는 말을 #1 에서 찾아 쓰시오.

> 주로 글에서 화제를 돌려 다른 이야기를 꺼낼 때, 앞서 이야기하던 내용을 그만둔다는 뜻으로 다음 이야기의 첫머리에 쓰는 말.

06 보기 를 참고하여 이 글의 등장인물을 설명할 때, 적절하지 않은 것은?

> **보기** 고전 소설에는 개인마다 성격과 특징이 다른 개성적인 인물보다는 어떤 집단의 특징을 대표하는 전형적인 인물이 많이 등장한다.

① 유심은 간신의 모함으로 귀양을 가게 되는 전형적인 충신이다.
② 천자는 백성을 진심으로 걱정하고 보살피는 전형적인 성군이다.
③ 유충렬은 천자와 나라를 위해 충성을 다하는 전형적인 충신이다.
④ 정한담은 역적이 되어 천자와 나라를 위협하는 전형적인 악인이다.
⑤ 유충렬은 아버지의 원수를 갚기 위해 전쟁에 참여하는 전형적인 효자이다.

07 #3 에서 다음 밑줄 친 부분의 의미로 가장 적절한 것은?

> 진진이 예언하되 머지않아 큰 재난이 있을지라 그 길로 도망가 싸움을 구경했다.

① 무서운 전염병이 돌 것이다.
② 유충렬이 전쟁에서 이길 것이다.
③ 나라에 자연재해가 일어날 것이다.
④ 정한담과 유충렬이 크게 싸울 것이다.
⑤ 천자가 죽고 태자가 황제가 될 것이다.

08 다음은 #2 에 나타난 '유충렬'의 말이다. 이에 대한 설명으로 적절하지 않은 것은?

> "소장은 동성문 안에 살던 정언 주부 유심의 아들 유충렬이옵니다. 돌아다니며 빌어먹다가 아비 원수를 갚으려고 왔습니다. 예전에 폐하께서 정한담을 충신이라 하시더니 충신도 역적이 됩니까? 그놈의 말을 듣고 충신을 귀양 보내고 이런 어려움을 당하시니 하늘과 땅이 아득하고 해와 달은 빛을 잃었습니다."

① 자신의 정체를 밝히고 있다.
② 상대방에 대한 원망이 담겨 있다.
③ 나라를 위해 적을 물리치겠다고 다짐하고 있다.
④ 천자 앞에서도 당당한 자세로 천자의 잘못을 지적하고 있다.
⑤ 비유적 표현을 사용하여 자신의 참담한 심정을 드러내고 있다.

8문제 중에

_____ 문제 맞혔어!

02

심청전
작자 미상

심청, 팔려가다

아버지 꼭 눈을 뜨셔야 해요...

아이고..

인물 심 봉사(심학규)
심청이의 아버지. 눈이 보이지 않지만 심청이를 지극정성으로 키움.

인물 심청
심 봉사의 딸. 태어나자마자 어머니를 잃고, 아버지 심 봉사를 정성을 다해 모시며 살아옴.

소재 공양미 삼백 석
사건 '심청'이 제물로 팔려 감.
심청이는 아버지의 눈을 뜨게 하기 위해 인당수의 제물이 되기로 하고 공양미 삼백 석을 받음.

심청, 연꽃에서 환생하다

배경 용궁
심청이는 용왕의 도움으로 살아나고 선녀가 된 어머니를 만난 후 연꽃을 타고 인간 세계로 돌아옴.

심청, 아버지를 만나다

아버지!

사건 '심청'이 '심 봉사'와 재회함.
간신히 맹인 잔치에 도착한 심 봉사는 황후가 된 심청이를 만나고, 눈도 다시 보이게 됨.

맹인 잔치

읽기 포인트 » 인당수에 팔려 갔던 심청이가 황후가 되어 아버지인 심 봉사를 다시 만나게 되는 장면이다. 인물들의 상황 변화에서 알 수 있는 고전 소설의 특징을 생각하며 읽어 보자.

#1 어느덧 동쪽이 밝아 오니, 심청이 아버지 진지나 마지막으로 지어 드리리라
'밥'의 높임말.
하고 문을 열고 나섰다.

그런데 벌써 뱃사람들이 사립문 밖에서,
나뭇가지를 엮어서 만든 문짝을 달아서 만든 문.
"오늘이 배 떠나는 날이오니 쉬이 가게 해 주시오."

하니, 심청이 이 말을 듣고 얼굴빛이 없어지고 손발에 맥이 풀리며 목이 메고 정신이 어지러워 뱃사람들을 겨우 불렀다.

"여보시오, 나도 오늘이 배 떠나는 날인 줄 이미 알고 있으나, 내가 팔린 줄 우리 아버지가 아직 모르십니다. 만일 아시게 되면 야단이 날 테니, 잠깐 기다리면 진지나 마지막으로 지어 잡수시게 하고 말씀 여쭙고 떠나겠습니다."

하니 뱃사람들이 답했다.

"그리 하십시오."

심청이 들어와 눈물로 밥을 지어 아버지께 올리고, 상머리에 마주 앉아 자반도
생선을 소금에 절여서 만든 반찬.
떼어 입에 넣어 드리고 김쌈도 싸서 수저에 놓으며,

"진지 많이 잡수셔요."

심 봉사는 눈치도 없이,
눈이 보이지 않는 장애인.
"오늘은 반찬이 유난히 좋구나. 뉘 집 제사 지냈느냐? 이상한 일도 있더구나. 간밤에 꿈을 꾸니, 네가 큰 수레를 타고 한없이 가더구나. 수레라 하는 것이 귀한 사람이 타는 것인데 ✄ 우리 집에 무슨 좋은 일이 있으려나 보다. 그렇지 않으면 장 승상 댁에서 가마 태워 데려가려나 보다."

심청이는 저 죽을 꿈인 줄 짐작하고 둘러대기를,

"그 꿈 참 좋습니다."

하고 진짓상을 물리고 밥을 먹으려 하니 간장이 썩는 눈물은 눈에서 솟아나고,
'마음'을 비유적으로 이르는 말.
✄ 아버지 신세 생각하며 저 죽을 일 생각하니 정신이 아득하고 몸이 떨려 밥을 먹
정신이 흐려진 상태이고.
지 못했다.

그런 뒤에 심청이 사당에 작별을 고하려고 다시 세수하고 사당문을 가만히 열
돌아가신 조상을 모시기 위한 집.
고 인사를 올렸다.

"못난 자손 심청이는 아비 눈 뜨기를 위하여 인당수 제물로 몸이 팔려 가니, 조
제사를 지낼 때 바치는 물건이나 짐승.
상님의 제사를 못 지내게 되어 슬픈 마음을 이기지 못하겠습니다."

★ 별별 포인트 ★

< 심 봉사가 꾼 '꿈'의 의미 >

'꿈'의 내용
심청이가 귀한 사람이 타는 큰 수레를 타고 한없이 감.

↓

'꿈'의 해석	
심 봉사	심청
심청이에게 좋은 일이 있을 꿈임.	자신이 인당수에 빠져 죽을 꿈임.

→ 제시된 장면에서는 '심청이의 죽음'을 의미하지만, 결국 심청이가 황후가 되므로 심 봉사의 해석대로 이루어짐.

#1 핵심 태그

뱃사람들과 떠나는 날 심 봉사의
　#　　　　 이야기를 듣고
자신이 죽는 꿈이라 생각하는
심청

#2 울며 인사하고 사당문 닫은 뒤에 아버지 앞에 나와 두 손을 부여잡고 기절하니, 심 봉사가 깜짝 놀라, / "아가 아가, 이게 웬일이냐? 정신 차려 말하거라."

심청이 여쭙기를, / "제가 못난 딸자식으로 아버지를 속였사옵니다. ✻ 공양미 삼백 석을 누가 저에게 주겠어요. 뱃사람들에게 인당수에 바치는 제물로 제 몸을 팔아 오늘이 떠나는 날이니 저를 마지막으로 보셔요."

공양미 불교에서 부처님께 바치기 위해 쓰는 쌀.

심 봉사가 이 말을 듣고,

"참말이냐, 참말이냐? 애고 애고, 이게 웬 말인고? 못 가리라, 못 가리라. 네가 나에게 묻지도 않고 마음대로 한단 말이냐? 네가 살고 내가 눈을 뜨면 그는 마땅히 할 일이나, 자식 죽여 눈을 뜬들 그게 차마 할 일이냐? 너의 어머니 너를 낳고 칠 일 만에 죽은 뒤에, 눈 어두운 늙은 것이 품 안에 너를 안고 이 집 저 집 다니면서 동냥하여 이만큼 키웠는데, 내 아무리 눈 어두우나 너를 눈으로 여기며

돌아다니며 돈이나 물건을 달라고 빌어.

걱정 없이 살았더니 이 말이 무슨 말이냐? 아내 죽고 자식 잃고 살아서 무엇하리. 너를 팔아 눈을 뜬들 무엇을 보려고 눈을 뜨리. 어떤 놈의 팔자기에 늙은 홀아비 된단 말이냐? 네 이놈들아! 장사도 좋지만 사람을 사다가 제사하는 것은 어디서 보았느냐? 눈먼 놈의 무남독녀 철모르는 어린아이를 꾀어 값을 주고 산

아들이 없는 집안의 외동딸.

단 말이냐? 돈도 싫고 쌀도 싫다, 네 이놈들아. 옛글을 모르느냐? 칠 년 동안 가뭄이 들어 하늘에 사람을 바쳐야 한다고 하니 탕 임금께서, '내가 지금 비는 것은 사람을 위함인데, 오히려 사람을 죽여서 하늘에 빌 것이면 내 몸으로 대신하리라.' 하며 자신의 몸을 깨끗이 하고 빌었더니 큰비가 내렸느니라. 이런 일도 있었으니 내가 대신 감이 어떠하냐? 여보시오 동네 사람, 저런 놈들을 두고 보오?"

심청이가 아버지를 붙들고 울며 위로했다.

"아버지 할 수 없어요. 저는 죽지만 아버지는 눈을 떠서 밝은 세상 보시고, 착한 사람 구하셔서 아들 딸 낳으시고, 못난 저는 생각하지 마시고 오래오래 평안히 계십시오. 이것 또한 하늘의 뜻이니 후회한들 어찌할 바 없습니다."

뱃사람들이 그 딱한 형편을 보고 모여 앉아 의논했다.

"심 소저의 효심과 심 봉사의 형편 생각하여 봉사님 굶지 않고 헐벗지 않게 한

아가씨를 이르는 말.

살림을 꾸며 주면 어떻겠소?" / 하고 쌀 이백 석과 돈 삼백 냥이며, 무명 삼베 각 한 동씩 마을에 들여 놓고 동네 사람들을 모아 당부했다.

"쌀 이백 석과 돈 삼백 냥을 착실한 사람 주어 온전하게 늘려 심 봉사에게 주게 합시다. 삼백 석 가운데 이십 석은 올해 양식으로 빼고, 나머지는 해마다 빌려 주어 이자를 받게 하고, 무명과 삼베로는 사계절 옷을 장만해 드립시다." 〈중략〉

#2 핵심 태그
심청이가 공양미 삼백 석을 받고 # 에 제물로 팔려 가는 사실을 알게 된 심 봉사

#3 맹인 잔치를 다 끝낸 뒤에 참가한 맹인의 명단을 올리라 하여 의복 한 벌씩
_{눈이 보이지 않는 장애인.}
을 내어 주시니, 맹인들이 모두 감사 인사를 드리는데 명단에 들지 못한 맹인 하
나가 우두커니 서 있었다.

황후께서 보시고, / "저 사람은 어떤 맹인이오?"

하고 상궁을 보내어 물으시니 심 봉사가 겁을 내어,

"저는 집이 없어 천지로 집을 삼고 사해로 밥을 부치어 떠돌아다니오니, 어느 고
_{하늘과 땅을 아울러 이르는 말.}   _{동서남북 사방의 바다.}
을에 산다고 할 수가 없어서 명단에도 들지 못하여 제 발로 들어왔습니다."

황후께서 반가워하시면서 가까이 들라 하시니 상궁이 명을 받아 심 봉사의 손
을 끌어 별전으로 들어갔다. 심 봉사는 무슨 영문인 줄 모르고 겁을 내어 더듬거리
_{본궁 가까운 곳에 따로 지은 궁전.}   _{일이 돌아가는 형편이나 그 까닭.}
는 걸음으로 별전에 들어가 계단 아래 섰는데, 그 얼굴은 몰라볼 만큼 변해 있었
고, 머리에는 흰 머리카락이 듬성듬성했다. 황후가 삼 년 동안을 용궁에서 지내다
보니 아버지의 얼굴이 가물가물해 물었다.

"처자는 있으신가요?"
_{아내와 자식을 아울러 이르는 말.}
심 봉사가 땅에 엎드려 눈물을 흘리면서 아뢨다.

"여러 해 전에 아내를 잃고, 칠 일이 안 되어 어미 잃은 딸이 하나 있었습니다. 제
가 눈이 어두운 몸으로 어린 자식을 품에 품고 동냥젖을 얻어 먹여 근근이 길러
_{여럽사리 겨우.}
내어 점점 자라면서 효행이 뛰어나서 옛사람을 앞서더니, 요망한 중이 와서, '공
_{부모를 잘 섬기는 행동.}   _{간사하고 영악한.}
양미 삼백 석을 시주하면 눈을 떠서 볼 것입니다.' 하니 저의 딸이 듣고, '어찌 아
_{절이나 승려에게 물건을 베풀어 주면.}
비 눈 뜨리란 말을 듣고 그저 있으리오.' 하고, 다른 길로는 공양미를 마련할 길
이 전혀 없어 저도 모르게 남경 뱃사람들에게 공양미 삼백 석을 받고 인당수에
_{중국의 한 지명.}
제물로 빠져 죽었는데, 그때 나이가 열다섯이었습니다. 눈도 뜨지 못하고 자식
만 잃었사오니 자식 팔아먹은 놈이 세상에 살아 쓸데없으니 죽여 주옵소서."

황후께서 들으시고 눈물을 흘리며, 그 말씀을 자세히 들으니 분명히 아버지인
줄을 알 수 있었다. 아버지와 딸 사이의 천륜에 어찌 그 말씀이 끝나기를 기다렸겠
_{부모와 자식 간에 하늘의 인연으로 정해져 있는 관계.}
는가마는 이야기를 만들자 하니 그렇게 되었던 것이었다.

그 말씀을 마치자 황후께서 버선발로 뛰어내려 와서 아버지를 안고,

"아버지, ✨ 제가 정녕 인당수에 빠져 죽었던 심청이어요."

심 봉사가 깜짝 놀라,

"이게 웬 말이냐?"

하더니 ✨ 어찌 반갑던지 뜻밖에 두 눈에서 딱지 떨어지는 소리가 나면서 두 눈이
활딱 밝았다.

★ 별별 포인트 ★

< 고전 소설의 행복한 결말 >

심청	다시 살아나 황후 자리에 오름.
심 봉사	심청이를 만나 앞을 볼 수 있게 됨.

- 착한 사람은 복을 받는다는 고전 소설의 주제가 드러남.
- 인물의 행복한 결말을 통해 심청이의 지극한 효심을 강조함.
- 심 봉사가 꾸었던 꿈이 실제로 이루어짐.

#3 핵심 태그

#[   ]가 된 심청이를
맹인 잔치에서 만나고 눈을
뜨게 된 심 봉사

17

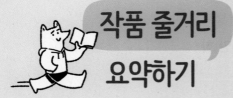

작품 줄거리 요약하기

앞부분 줄거리

심 봉사의 부인 곽 씨는 심청이를 낳은 지 칠 일 만에 죽고 만다. 심 봉사는 아내가 죽자 동냥젖을 얻어먹이며 심청이를 기르고, 심청이는 자라서 아버지를 지극한 효성으로 모신다.

어느 날 개천에 빠진 심 봉사는 승려의 도움으로 살아나고, 쌀 삼백 석을 공양하면 눈을 뜰 수 있다는 승려의 말에 시주를 약속한다. 심청이는 공양미 삼백 석을 마련하기 위해 인당수의 제물로 팔려 가기로 한다.

제시 장면 줄거리

심청이는 자신이 ❶ ⬜⬜⬜ 의 제물로 팔려 가게 되었다는 사실을 아버지에게 알린다. 심 봉사는 안 된다고 딸을 붙잡지만 심청이는 울면서 하늘의 뜻이라며 아버지를 위로한다.

중략 부분 줄거리

인당수에 빠진 심청이는 용왕의 도움으로 살아나 하늘의 선녀가 된 어머니를 만나고, 연꽃에 실려 다시 인간 세상으로 돌아온다. 천자는 연꽃에서 나온 심청이를 황후로 맞이하고, 황후가 된 심청이는 아버지를 찾기 위해 전국의 맹인을 모으는 잔치를 연다. 한편, 심 봉사는 뺑덕 어미에게 재산을 모두 빼앗기고 거지가 되어 간신히 맹인 잔치를 찾아온다.

제시 장면 줄거리

❷ ⬜⬜ 잔치에 온 심 봉사는 황후가 된 심청이를 만나 눈을 뜨게 되고, 두 사람은 행복하게 산다.

오엑스 확인 문제

01 이 글에 대한 설명으로 맞으면 ○표, 틀리면 ✕표를 하시오.

인물 심청이는 효심이 깊은 인물이다. ⬜

사건 심청이는 죽지 않고 황후가 되었다. ⬜

배경 심 봉사는 심청이를 만나기 위해 맹인 잔치에 온 것이다. ⬜

소재 뱃사람들은 심청이의 몸값으로 무명과 삼베를 주었다. ⬜

02 '심 봉사'와 '심청'에 대한 설명으로 적절하지 **않은** 것은?

① 심 봉사에게 심청이는 애지중지하는 딸이다.
② 심 봉사는 부인이 죽고 심청이를 홀로 키웠다.
③ 심청이는 심 봉사의 눈을 뜨게 하고 싶어 한다.
④ 심 봉사는 심청이를 위해 집안일을 도맡아 한다.
⑤ 심청이는 열다섯 살이 될 때까지 아버지를 모셨다.

03 **#1** 에서 '심 봉사'가 꾼 '꿈'에 대한 설명으로 적절하지 **않은** 것은?

① 심청이가 제물로 팔려 갈 일을 암시한다.
② 심청이가 가마를 타고 장 승상 댁에 가게 된 일을 알려 준다.
③ 이어질 내용에 대한 독자의 흥미와 궁금증을 불러일으킨다.
④ 심 봉사와 심청이의 해석이 달라 상황을 비극적으로 만든다.
⑤ 심청이가 황후가 된 일을 보면, 심 봉사의 해석이 결국 맞았음을 알 수 있다.

04 '심청'이 인당수의 제물로 팔렸다는 사실을 안 '심 봉사'의 반응으로 적절하지 <u>않은</u> 것은?

① 심청이를 키울 때 겪은 어려움을 말하며 한탄한다.

② 심청이가 죽는 것이 운명임을 인정하고 체념한다.

③ 심청이를 제물로 산 뱃사람들을 원망하고 비난한다.

④ 옛이야기를 들어 심청이 대신 자신이 제물이 되겠다고 나선다.

⑤ 심청이를 잃고 눈을 뜨는 것이 의미 없다고 말하며 심청이를 설득한다.

05 보기 의 이것에 해당하는 소재를 찾아 쓰시오.

> 보기
>
> 심청이는 <u>이것</u>을 구하기 위하여 자신을 제물로 팔아 인당수에 빠진다. 인당수는 사람을 제물로 바쳐야만 배가 무사히 지나갈 수 있다는 깊은 물을 가리킨다.

_____

06 이 글을 통해 알 수 있는 내용으로 가장 적절한 것은?

① 심 봉사는 심청이가 제물로 팔려 가는 것을 모르는 척했다.

② 심청이가 인당수에 빠진 후 심 봉사는 떠돌이 신세가 되었다.

③ 황후가 된 심청이는 심 봉사를 보자마자 한눈에 알아보았다.

④ 심 봉사는 심청이가 마련한 공양미 삼백 석 덕분에 눈을 떴다.

⑤ 뱃사람들은 심 봉사를 가엾이 여겨 심 봉사와 같이 살기로 했다.

07 보기 는 이 글의 결말이다. 이와 관련 있는 고전 소설의 특징으로 가장 적절한 것은?

> 보기
>
> 황후가 된 심청이는 맹인 잔치를 열어 아버지를 만나고, 심 봉사는 다시 앞이 보이게 된다.

① 사건이 우연히 일어난다.

② 비현실적인 배경이 나타난다.

③ 주인공이 행복한 결말을 맞게 된다.

④ 작자가 직접 글에 개입하는 부분이 있다.

⑤ 어떤 집단의 특징을 대표하는 인물이 나온다.

08 보기 는 이 글의 바탕이 된 이야기이다. 보기 와 이 글을 비교한 내용으로 적절하지 <u>않은</u> 것은?

> 보기
>
> 신라 시대에 지은이라는 효녀가 있었다. 지은이는 아버지를 여의고 눈먼 어머니와 살다가 어려운 가정 형편 때문에 스스로 부잣집의 종이 되었다. 어머니가 이 사실을 알고 통곡하자 지나가던 화랑이 두 사람의 사연을 듣고 살림을 보태 주고 지은이의 몸값을 내주었다. 왕도 이 소식을 듣고 지은이에게 쌀과 집을 주어 지은이는 어머니를 모시고 행복하게 살았다.

① 심청이와 지은이는 둘 다 왕과 결혼하는군.

② 심청이는 제물로, 지은이는 종으로 팔려 가는군.

③ 심청이와 지은이는 부모에 대한 효심이 지극하군.

④ 심청이는 어머니가 죽었고, 지은이는 아버지가 죽었군.

⑤ 심청이는 아버지가 맹인이고, 지은이는 어머니가 맹인이군.

8문제 중에

_____ 문제 맞혔어!

03

허생전
박지원

배경 조선 후기(17세기 후반 효종 때)
당시 조선의 상황은 경제가 불안하고 양반들은
실리보다는 명분에만 집착하여 도둑이 들끓고
있었음.

인물 변 씨
상인이자 서울의 최고 부자.
허생에게 만 냥을 빌려줌.
후에 인재를 찾는 이완 대장에게 허생을
소개함.

범상치 않은
인물이군.

인물 허생
가난한 양반. 변 씨에게 만 냥을
빌려 백만 냥을 만들 정도로 비범한 인물임.
명분만 중시하는 사대부를 비판함.

소재 만 냥
사건 '허생'이 매점매석으로
큰 돈을 벎.
당시 조선의 경제가 만 냥에 흔들릴
정도로 불안정함을 보여 줌.

인물 이완 대장
집권 사대부로 명분만 중시하여 허생이
제안한 세 가지 방법을 모두 거절함.
실존 인물로 작품의 현실성을 높임.

그렇게는
못한다니까요.

사건 '허생'이 도둑들을 데리고 '빈 섬'에 감.
허생은 나라도 해결하지 못한 도둑들을 데리고 '빈 섬'에
가서 자신이 생각했던 이상적인 사회를 건설함.

읽기 포인트 » 아내의 질책으로 집을 나간 허생은 큰돈을 벌기도 하고, 나라의 도둑들을 처리하기도 한다. 허생이 이와 같은 일을 어떻게 해낼 수 있었는지 파악하며 읽어 보자.

#1 하루는 그 처가 몹시 배가 고파서 울음 섞인 소리로 말했다.

"당신은 평생 과거를 보지 않으니, 글을 읽어 무엇합니까?"

허생은 웃으며 대답했다. / "나는 아직 도서를 익숙히 하지 못하였소."

"그럼 장인바치 일이라도 못 하시나요?"
손으로 물건을 만드는 일을 직업으로 하는 사람을 낮잡아 이르는 말.
"장인바치 일은 본래 배우지 않은 걸 어떻게 하겠소?"

"그럼 장사는 못 하시나요?" / "장사는 밑천이 없는 걸 어떻게 하겠소?"

처는 성을 내며 소리쳤다. / "밤낮으로 글을 읽더니 기껏 '어떻게 하겠소?' 소리만 배웠단 말씀이요? 장인바치 일도 장사도 못 한다면, 도둑질이라도 못 하시나요?"

허생은 읽던 책을 덮어놓고 일어나면서,

"아깝다. 내가 당초 글읽기로 십 년을 기약했는데, 인제 칠 년인걸……."
때를 정하여 약속했는데.
하고 휙 문밖으로 나가 버렸다.

허생은 아는 사람이 없어 운종가로 나가서 거리의 사람을 붙들고 말했다.
조선 시대에, 지금의 종로 네 거리를 중심으로 한 곳.
"누가 서울 안에서 제일 부자요?"

변 씨를 말해 주는 사람이 있어서, 허생이 곧 변 씨의 집을 찾아가 말했다.

"내가 집이 가난해서 뭘 좀 해 보려고 하니, 만 냥을 꿔 주시기 바랍니다."

변 씨는 "그러시오." 하고 당장 만 냥을 내주었다. 허생은 감사하다는 인사도 없이 가 버렸다. 변 씨 집의 자식과 손자들이 허생을 보니 거지였다. 허리띠의 술이 빠져 너덜너덜하고, 갓신의 뒷굽이 자빠졌으며, 쭈그러진 갓에 허름한 도포를 걸
가죽으로 만든 우리 고유의 신발. 예전에 예복으로 입던 남자의 겉옷.
치고, 코에서 맑은 콧물이 흘렀다. 허생이 나가자, 모두들 어리둥절해서 물었다.
무슨 영문인지 잘 몰라서 얼떨떨해서.
"아니, 하루아침에 평생 누군지도 알지 못하는 사람에게 만 냥을 그냥 내던져 버리고 이름도 묻지 않으시다니, 대체 무슨 까닭입니까?" / 변 씨가 말했다.

"이건 너희들이 알 바 아니다. 대체로 남에게 무엇을 빌리러 오는 사람은 자기 뜻을 대단히 내세우고, 빌린 것을 갚을 수 있다고 자랑하면서도 비굴한 빛이 얼굴에 나타나고, 중언부언하기 마련이다. 그런데 저 사람은 형색은 허술하지만,
용기나 줏대가 없이 남에게 굽히기 쉬운. 이미 한 말을 자꾸 되풀이함. 얼굴 빛이나 표정.
말이 간단하고, 눈을 오만하게 뜨며, 얼굴에 부끄러운 빛이 없는 것으로 보아, 재물이 없어도 스스로 만족할 수 있는 사람이다. 그 사람이 해 보겠다는 일이 작은 일이 아닐 것이므로, 나 또한 그를 시험해 보려는 것이다. 안 주면 모르되, 이왕 만 냥을 주는 바에 이름은 물어 무엇하겠느냐?"

★ 별별 포인트 ★

〈 허생과 변 씨의 성격 〉

☆ **허생**

• 처음 보는 사람에게 당당한 태도로 큰돈을 빌림.
→ 자신감과 대범함을 알 수 있음.

☆ **변 씨**

• 허생의 말과 태도로 허생의 인물됨을 알아 봄.
• 아무것도 묻지 않고 큰돈을 빌려줌.
→ 통찰력과 대범함을 알 수 있음.

#1 핵심 태그
아내의 질책으로 글읽기를 그만두고 변 씨에게
[   ] 을 빌리는 허생

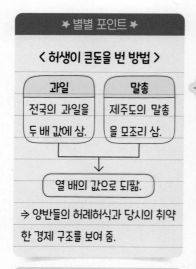

★ 별별 포인트 ★

< 허생이 큰돈을 번 방법 >

과일	말총
전국의 과일을 두 배 값에 삼.	제주도의 말총을 모조리 삼.

열 배의 값으로 되팖.

→ 양반들의 허례허식과 당시의 취약한 경제 구조를 보여 줌.

#2 핵심 태그

전국의 과일과 # ☐ 을 모조리 사들여 큰돈을 번 허생

#2 허생은 만 냥이 생기자, 자기 집에 들르지도 않고 바로 안성으로 내려갔다. 안성은 경기도, 충청도 사람들이 마주치는 곳이요, 충청도, 전라도, 경상도로 가는 길목이기 때문이다. 거기서 대추, 밤, 감, 배며 석류, 귤, 유자 같은 ☆과일을 모조리 두 배의 값으로 사들였다. 허생이 과일을 몽땅 샀기 때문에 온 나라가 잔치나 제사를 못 치를 형편에 이르렀다. 얼마 안 가서, 허생에게 두 배의 값으로 과일을 팔았던 상인들이 도리어 열 배의 값을 주고 사 가게 되었다. 허생은 길게 한숨을 내쉬었다.

*길의 중요한 통로가 되는 곳.

"만 냥으로 온갖 과일의 값을 좌우했으니, 우리나라의 형편을 알겠구나."

그는 다시 칼, 호미, 포목 등을 가지고 제주도로 건너가서 ☆말총을 죄다 사들이면서 말했다.

*옷감. *말의 갈기나 꼬리의 털.

"몇 해가 지나면 나라 안의 사람들이 머리를 싸매지 못할 것이다."

허생이 이렇게 말하고 얼마 안 가서 과연 망건 값이 열 배로 뛰어올랐다.

#3 이때, 변산에 수천 명의 도둑들이 우글거리고 있었다. 각 지방에서 군사를 모아 구석구석 찾았지만 좀처럼 잡히지 않았고, 도둑들도 감히 나가 활동하지 못해 배고프고 곤란할 지경이었다. 허생이 도둑들의 소굴로 찾아가서 우두머리를 달랬다.

*도둑이나 악한 무리가 활동의 본거지로 삼고 있는 곳.

"천 명이 천 냥을 빼앗아 와서 나누면 하나 앞에 얼마씩 돌아가지요?"

"일 인당 한 냥이지요."

"모두 아내가 있소?" / "없소."

"논밭은 있소?"

도둑들이 어이없어 웃었다.

"땅이 있고 처자식이 있는 놈이 무엇 때문에 괴롭게 도둑이 된단 말이오?"

"정말 그렇다면, 왜 아내를 얻고, 집을 짓고, 소를 사서 논밭을 갈고 지내려 하지 않는가? 그럼 도둑놈 소리도 안 듣고 살면서, 집에는 부부의 행복이 있을 것이요, 돌아다녀도 잡힐까 걱정을 않고 오랜 세월 먹고 살기에 충분할 텐데."

"아니, 왜 바라지 않겠소? 다만 돈이 없어 못할 뿐이지요."

허생은 웃으며 말했다.

"도둑질을 하면서 어찌 돈을 걱정할까? 내가 능히 당신들을 위해서 마련할 수 있소. 내일 바다에 와 보오. 붉은 깃발을 단 것이 모두 돈을 실은 배이니, 마음대로 가져가구려."

허생이 이같이 약속하고 내려가자, 도둑들은 모두 그가 미쳤다며 비웃었다.

이튿날, 도둑들이 바닷가에 나가 보았더니, 과연 허생이 배에 삼십만 냥의 돈을 싣고 와 있었다. 모두들 크게 놀라서 허생 앞에 줄지어 절했다.

"오직 장군의 명령을 따르겠소이다."

"어디 힘껏 짊어지고 가 보거라."

도둑들은 다투어 돈을 짊어졌으나 한 사람이 백 냥 이상을 지지 못했다.

"너희들, 기껏해야 백 냥도 못 지면서 무슨 도둑질을 하겠느냐? 인제 너희들이 <u>선량한</u> 백성이 되려고 해도, 이름이 도둑의 <u>명단</u>에 올랐으니, 갈 곳이 없다. 내
<small>성품이 착하고 어진.</small> <small>어떤 일에 관련된 사람들의 이름을 적은 표.</small>
가 여기서 너희들을 기다릴 것이니, 한 사람이 백 냥씩 가지고 가서 여자 하나, 소 한 필을 거느리고 오너라."

허생의 말에 도둑들은 모두 좋다고 흩어져 갔다.

#3 핵심 태그

\#   이 큰돈을 가지고 오자 허생을 따르기로 하는 도둑들

#4 허생은 몸소 이천 명이 일 년 먹을 <u>양식</u>을 준비하고 기다렸다. 도둑들이 빠짐
<small>사람이 살기 위해 필요한 먹을거리.</small>
없이 모두 돌아왔다. 드디어 다들 배에 싣고 그 빈 섬으로 들어갔다. 허생이 도둑을 몽땅 쓸어 가서 나라 안에 시끄러운 일이 없었다.

도둑들은 나무를 베어 집을 짓고, 대나무를 엮어 울타리를 만들었다. 땅기운이 온전하기 때문에 온갖 곡식이 잘 자라서, 한 해나 세 해만큼 걸러 짓지 않아도 한 줄기에 아홉 이삭이 달렸다. 삼 년 동안의 양식을 쌓아 두고, 나머지를 모두 배에 싣고 장기도로 가져가서 팔았다. 장기라는 곳은 삼십만여 호나 되는 일본에 속한 땅이었다. 그 지방에 흉년이 들어 <u>구휼하고</u> 은 백만 냥을 얻게 되었다.
<small>돈과 물품을 주어 어려운 처지에 있는 사람을 도와주고.</small>
허생이 탄식하면서, / "이제 나의 ✎ 조그만 시험이 끝났구나."

하고, 남녀 이천 여 명을 모아 놓고 말했다.

"내가 처음에 너희들과 이 섬에 들어올 때엔 먼저 살림을 넉넉하게 만든 후에 따로 문자를 만들고 의관을 정비하려 했다. 그런데 땅이 좁고 덕이 엷으니, 나는 이제 여기를 떠나련다. 다만, 아이들을 낳거들랑 오른손에 숟가락을 쥐고, 하루라도 먼저 난 사람이 먼저 먹도록 양보케 하여라."

다른 배들을 모조리 불사르면서, / "가지 않으면 오는 이도 없으렷다."

하고 돈 오십만 냥을 바다 가운데 던지며,

"바다가 마르면 주워 갈 사람이 있겠지. 백만 냥은 우리나라에도 쓸 곳이 없거늘, 하물며 이런 작은 섬에서 쓰겠는가!"

했다. 그리고 글을 아는 자들을 골라 모조리 함께 배에 태우면서,

"이 섬에 화근을 없애야 되지." / 했다.

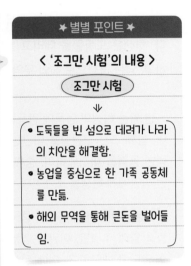

★ 별별 포인트 ★

< '조그만 시험'의 내용 >

조그만 시험
⇓

• 도둑들을 빈 섬으로 데려가 나라의 치안을 해결함.

• 농업을 중심으로 한 가족 공동체를 만듦.

• 해외 무역을 통해 큰돈을 벌어들임.

#4 핵심 태그

도둑들을 데리고 빈 섬으로 들어가 조그만 \#   을 끝내는 허생

작품 줄거리 요약하기

제시 장면 줄거리

가난한 선비인 허생은 가난을 견디지 못한 아내의 잔소리에 글읽기를 중단하고 집을 나간다.

허생은 변 씨에게 찾아가 만 냥을 빌려 달라고 한다. 허생은 나라 안의 과일과 **1** ☐☐ 을 모조리 산 후 비싸게 되파는 방식으로 큰돈을 번다.

나라에 도둑들이 들끓자, 허생은 그들을 설득하여 **2** ☐☐ 으로 데리고 가서 치안 문제를 해결한다. 허생은 도둑들을 데리고 농사를 지어 자급자족하고, 남는 곡식으로 해외 무역을 하여 큰돈을 번다.

뒷부분 줄거리

변 씨는 허생의 인품에 감동하여 그와 친하게 지내며, 함께 조선의 현실을 비판한다. 그리고 허생의 비범한 능력을 아까워하여, 숨어 있는 인재를 찾고 있던 이완에게 허생을 소개한다.

허생은 이완에게 북쪽의 중국을 정벌할 세 가지 방법을 알려 주지만, 이완은 명분을 중시하여 모두 할 수 없다고 대답한다. 이에 허생은 이완에게 크게 화를 낸 후 사라진다.

오엑스 확인 문제

01 이 글에 대한 설명으로 맞으면 ○표, 틀리면 ✕표를 하시오.

인물 허생은 변 씨와 원래 알던 사이이다. ☐

사건 허생 때문에 온 나라에서 잔치와 제사를 못 치르게 되었다. ☐

배경 '빈 섬'은 허생이 이상적인 사회를 만들어 보려고 한 곳이다. ☐

소재 허생은 섬에서 기른 곡식을 팔아 만 냥을 얻었다. ☐

별별 포인트 ✿

02 이 글의 등장인물에 대한 설명으로 적절하지 않은 것은?

① 변 씨는 이름도 묻지 않고 허생에게 돈을 빌려 주었다.
② 허생은 십 년 동안 글을 읽으려던 계획을 지키지 못하였다.
③ 허생은 당당한 태도로 변 씨에게 돈을 빌려 달라고 하였다.
④ 허생의 아내는 글만 읽는 남편에게 분노하여 큰소리를 쳤다.
⑤ 변 씨의 자식들은 허생의 누추한 외모에도 그의 비범함을 알아차렸다.

03 이 글을 통해 알 수 있는 시대상으로 적절하지 않은 것은?

① 나라의 경제가 무척 취약했다.
② 도둑들이 많아져서 치안이 불안했다.
③ 당시 양반은 제사와 겉치레를 중시했다.
④ 살기가 어려워서 도둑이 된 백성이 많았다.
⑤ 돈이 많은 상인들이 양반보다 신분이 높았다.

04 **#1** 에서 양반의 무능력함에 대한 반감을 단적으로 보여 주는 말로 가장 적절한 것은?

① 장사
② 도둑질
③ 과거
④ 글읽기
⑤ 장인바치

05 다음에서 설명하는 소재를 **#4** 에서 찾아 쓰시오.

- 허생이 이상적인 사회를 건설하고자 한 곳이다.
- 「홍길동전」에 나오는 '율도국'과 비슷한 곳이지만, 허생의 이곳은 완벽한 이상국이 아니라는 점에서 차이가 있다.

06 **#4** 에서 '허생'이 다음과 같이 말한 이유로 적절한 것은?

그리고 글을 아는 자들을 골라 모조리 함께 배에 태우면서,
"이 섬에 화근을 없애야 되지."
했다.

① 섬에서 나가는 것이 아쉬워서이다.
② 당시의 지식인들을 비판하기 위해서이다.
③ 자신이 한 일을 글로 적어 두기 위해서이다.
④ 큰돈이 있어도 쓰지 못하는 것이 안타까워서이다.
⑤ 무식한 도둑들이 사고를 치지 못하게 하기 위해서이다.

별별 포인트!☆
07 **#4** 에서 '허생'이 한 말 중, 밑줄 친 부분의 의미로 적절하지 <u>않은</u> 것은?

"이제 나의 <u>조그만 시험</u>이 끝났구나."

① 도둑들을 경제적 어려움에서 벗어나게 한 일
② 농업을 중심으로 한 가족 공동체를 만들어 본 일
③ 자신이 왕이 되어 새로운 문자와 제도를 만들어 낸 일
④ 해외 무역을 하여 은 백만 냥이라는 큰돈을 벌어들인 일
⑤ 도둑들을 빈 섬으로 데리고 가서 나라의 치안을 해결한 일

별별 포인트!☆
08 '허생'이 재물을 모은 과정으로 적절하지 <u>않은</u> 것은?

① 변 씨에게 만 냥을 빌림.
↓
② 안성으로 가서 과일을 두 배의 값으로 사들임.
↓
③ 과일을 팔았던 상인들에게 열 배의 값으로 되팖.
↓
④ 칼, 호미, 포목 등을 가지고 빈 섬으로 들어가서 말총을 사들임.
↓
⑤ 말총을 열 배의 가격으로 되팖.

03 허생전

25

8문제 중에
_____ 문제 맞혔어!

04
동명왕 신화

작자 미상

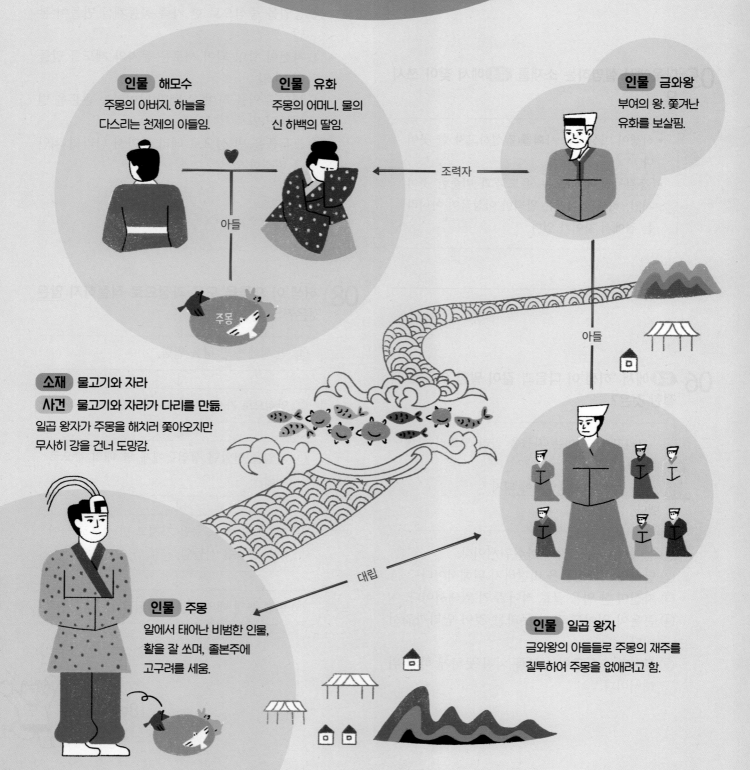

인물 해모수
주몽의 아버지. 하늘을 다스리는 천제의 아들임.

인물 유화
주몽의 어머니. 물의 신 하백의 딸임.

인물 금와왕
부여의 왕. 쫓겨난 유화를 보살핌.

조력자

아들

주몽

아들

소재 물고기와 자라
사건 물고기와 자라가 다리를 만듦.
일곱 왕자가 주몽을 해치러 쫓아오지만
무사히 강을 건너 도망감.

대립

인물 주몽
알에서 태어난 비범한 인물,
활을 잘 쏘며, 졸본주에
고구려를 세움.

인물 일곱 왕자
금와왕의 아들들로 주몽의 재주를
질투하여 주몽을 없애려고 함.

읽기 포인트 » 이 글은 건국 신화로 고구려라는 나라를 세운 주몽의 이야기이다. 신화적 인물인 주몽의 탄생과 성장, 주몽에게 닥친 위기와 이를 극복하는 과정을 살펴보며 읽어 보자.

#1 물의 신인 하백의 딸 유화가 천제의 아들 해모수와 결혼하였으나, 남편과 아버지에게 모두 버림받은 자신의 처지를 이야기하였다. 금와왕은 이 사연을 듣고 측은한 마음이 들어 유화를 궁으로 데리고 왔다. 유화는 별궁에서 지냈는데, 날마다 햇빛이 따라와 유화를 비추었다. 유화가 피하면 햇빛이 또 따라와 비추었다. 몇 달 뒤, 유화는 커다란 알 하나를 낳았는데 알 위에 언제나 빛이 감돌았다.

금와왕은 그 알이 상서롭지 못하다 하여 돼지우리에 버리게 하였다. 그러나 돼지들은 알을 밟을까 봐 피해 다녔다. 알을 들판에 버리면 새들이 몰려와 알을 보호했고, 길에 버리면 소나 말들이 피해 다녔다. 알을 깨뜨리려 해도 깨지지 않으니 왕은 마지못해 그 알을 유화에게 돌려주었다. **유화가 그 알을 정성껏 돌보니 마침내 알을 깨고 한 사내아이가 나왔다.** 그 아이는 기골이 남달라 일곱 살에 벌써 남들보다 뛰어났다. 스스로 활과 화살을 만들어 쏘면 백발백중이었다. 그 당시 부여에서는 활 잘 쏘는 사람을 가리켜 '주몽'이라 하였다. 그래서 유화는 아이의 이름을 주몽으로 지었다.

#2 금와왕에게는 일곱 명의 아들이 있었다. 그중 어느 누구도 주몽의 재주를 이길 수 없었기 때문에 주몽을 눈엣가시로 여겼다. 어느 날 왕자들과 주몽이 함께 사슴 사냥을 나갔다. 왕자들이 하인들을 거느리고 한 마리를 잡는 동안 주몽은 혼자 여러 마리를 잡았다. 이를 질투한 왕자들이 주몽을 잡아 나무에 묶어 놓고 궁으로 돌아가 버렸는데 주몽은 나무를 통째로 뽑아서 돌아왔다. 이를 본 왕자들은 주몽이 언제라도 자신을 해칠 수 있다는 생각에 두려워했다. 태자인 대소가 왕에게 아뢰었다.

"아바마마, 주몽은 보통 사람이 아닙니다. 만약 그를 없애지 않으면 반드시 후환이 있을 것입니다." / 왕은 주몽을 시험하기 위해 주몽에게 말을 기르게 했다. 주몽은 천제의 손자인 자신이 허드렛일을 하는 것이 한스러웠지만, 훗날 남쪽으로 가 나라를 세울 마음을 품고 묵묵히 일하였다. 주몽은 마구간에서 가장 좋은 말을 골라 그 혀에 몰래 바늘을 찔러 두었다. 그러자 그 말은 먹이를 제대로 먹지 못해 야위었다. 얼마 후 금와왕이 마구간에 나와 살찐 말들을 보고 주몽을 칭찬하면서 주몽에게 상으로 마른 말을 주었다. 그 말은 바로 주몽이 바늘을 꽂아 둔 말이었다. 주몽이 바늘을 뽑고 잘 먹이니, 천하의 준마가 되었다.

★ 별별 포인트 ★

< '주몽'의 신이한 탄생 >

주몽

- 천제의 아들 해모수와 물의 신 하백의 딸인 유화의 자식임.
- 유화가 자신을 비추는 햇빛을 받고 낳은 알에서 태어남.

→ 주몽은 하늘의 자손으로 신성한 인물임.

#1 핵심 태그
유화가 햇빛을 받아 낳은

[   ] 에서 태어난 주몽

#2 핵심 태그
주몽의 뛰어난 재주를 질투하는

[   ] 의 일곱 아들

27

#3 주몽이 성실히 일해 금와왕의 믿음을 얻자 일곱 왕자와 신하들은 직접 주몽을 없애기로 했다. 그 사실을 알아챈 유화 부인이 주몽을 불러 말했다.

"네가 가진 재주와 지혜라면 장차 큰일을 할 수 있을 것이다. 왕자와 신하들이 너를 해치려 하니 어서 이곳을 떠나 너의 뜻을 마음껏 펼치거라."
_{앞으로의 뜻으로, 미래의 어느 때를 나타내는 말.}

그날 밤 주몽은 자신을 따르는 세 친구 오이, 마리, 협보와 부여를 떠나기로 하였다. 주몽은 금와왕에게서 얻은 말을 타고 남쪽으로 향했다.

그러나 주몽이 사라졌음을 눈치챈 일곱 왕자들이 금세 병사를 이끌고 주몽 일행을 뒤쫓았다. 주몽 일행은 열심히 남쪽으로 말을 몰았으나 얼마 가지 못하여 강가에 이르렀다. 압록강 동북쪽의 엄체수라는 곳이었는데, 그 폭이 매우 넓은데다 나룻배 한 척 보이지 않았다. 뒤에서는 왕자들과 병사들이 주몽 일행을 뒤쫓고 있어 꼼짝없이 붙잡힐 처지에 있었다.

주몽은 원통함에 채찍으로 하늘을 가리키며 소리 높여 외쳤다.

"나는 천제의 손자요, 하백의 외손자이다. 오늘 화를 피하여 도망을 가는 길인데 뒤쫓는 자들이 바로 뒤에 따라오니 이를 어쩌면 좋단 말인가!"
_{뜻하지 않게 생긴 불행한 일.}

주몽의 말이 끝나자마자 어디서 왔는지 물고기와 자라 들이 떼 지어 나타나 순식간에 다리를 만들어 주었다. 주몽 일행은 물고기와 자라가 만들어 준 다리를 달려 강을 건넜다. 그들이 강 건너편에 닿자 추격하던 병사들이 강가에 이르렀다. 그러자 물고기와 자라 들이 흩어져 강 속으로 들어가 버렸다. 병사들은 더 이상 주몽 일행을 쫓을 수 없었고 이미 다리에 올라섰던 자들은 모두 빠져 죽었다.
_{뒤쫓아 가며 공격하던.}

#4 위기를 벗어난 주몽 일행은 나라를 세울 좋은 땅을 찾아 길을 떠났다. 그들은 남쪽으로 계속 내려간 끝에 졸본주에 이르렀다. 졸본주는 땅이 기름지고 주위에 높은 산이 병풍처럼 둘러서 있어 외적의 침입을 막을 만했다. 주몽은 그곳에 나라를 세우고 나라 이름을 '고구려'라고 했다. 그리고 하늘의 후손으로서 햇빛을 받아 세상에 태어났다고 해서 '고(高)'라는 성을 썼는데, 이때 주몽의 나이 스물 두 살이었다. 주몽은 후에 '동명 성왕'이라고 불렸다.
_{외국으로부터 쳐들어오는 적.}

오엑스 확인 문제

01 이 글에 대한 설명으로 맞으면 ○표, 틀리면 ×표를 하시오.

인물 유화는 천제의 딸이다.

사건 유화는 자신을 따라다니며 비추는 햇빛을 받아 알을 낳았다.

배경 금와왕은 부여를 다스렸다.

소재 물고기와 자라 들은 주몽 일행을 위해 다리를 만들었다.

02 이 글에 대한 설명으로 적절하지 <u>않은</u> 것은?

① 신적인 인물들이 등장한다.
② 구체적인 지명과 이름이 나온다.
③ 인물의 영웅적인 일대기를 다룬다.
④ 글 속에 글쓴이가 분명히 드러난다.
⑤ 나라가 생겨나게 된 기원이 나타난다.

03 등장인물에 대한 설명으로 적절한 것은?

① 주몽은 훗날 부여의 왕이 되고자 결심하였다.
② 금와왕은 주몽과 함께 사슴 사냥을 주로 다녔다.
③ 금와왕의 일곱 아들은 주몽의 재주를 질투하였다.
④ 유화는 아들이 말을 잘 타서 이름을 주몽으로 지었다.
⑤ 주몽의 세 친구는 왕자들의 음모를 알아채고 주몽에게 알려 주었다.

별별 포인트!
04 보기 는 영웅 이야기의 구조에 맞추어 이 글을 정리한 것이다. A와 B에 들어갈 말을 쓰시오.

보기

① 고귀한 혈통	'해모수'와 '유화' 사이에서 태어남.
② 신이한 출생	A 에서 태어남.
③ 비범한 능력	활을 잘 쏘며, 지혜를 발휘해 준마를 얻음.
④ 위기와 시련	금와왕의 아들들이 해치려 함.
⑤ 위기의 극복	물고기와 자라 들의 도움으로 강을 건넘.
⑥ 위대한 업적	B 를 세움.

• A: _____

• B: _____

별별 포인트!
05 이 글에 대한 이해로 적절하지 <u>않은</u> 것은?

① '사냥'은 주몽의 뛰어난 능력을 보여 주는군.
② '물고기와 자라'는 주몽이 물의 신의 자손임을 보여 주는군.
③ '알'을 동물들이 보호한 것은 주몽이 귀한 존재임을 보여 주는군.
④ '야윈 말'은 주몽이 동물과 대화할 수 있는 능력을 지녔음을 보여 주는군.
⑤ 유화가 '햇빛'을 받아 주몽을 낳은 것은 주몽이 하늘의 혈통임을 보여 주는군.

5문제 중에

_____ 문제 맞혔어!

05

#가 동짓달 기나긴 황진이

#나 묏버들 가려 홍랑

표현 추상적인 대상의 구체화
'밤'이라는 추상적인 시간을 자르거나 보관할
수 있는 사물처럼 구체적으로 표현함.

홀로 있는 이 시간을
임을 만날 때 쓰고 싶어.

묏버들을 저라고
생각하세요.

시어 묏버들
시적 화자의 분신으로, 임에
대한 화자의 사랑을 전하는
소재임.

화자 여성 화자, 기녀
임에 대한 그리움과 사랑을 표현함.

읽기 포인트》 화자는 추상적인 시간을 나타내는 '밤'을 구체적인 사물처럼 표현하고 있다. 이러한 표현을 통해 화자가 전하고자 하는 마음은 무엇인지 생각하며 읽어 보자.

#가 동짓달 기나긴 | 황진이

✤ 동짓달 기나긴 밤을 한 허리를 베어 내어,
<small>일 년 중 밤이 가장 짧은 달로 음력 11월.</small>
춘풍 이불 안에 서리서리 넣었다가,
<small>국수나 새끼, 실을 둥그렇게 포개어 감은 모양.</small>
정든 임 오신 날 밤이어든 굽이굽이 펴리라.
<small>여러 굽이로 구부러진 모양.</small>

#가 핵심 태그

`#_____`의 긴 밤을 잘랐다가 임이 온 밤에 꺼내고 싶음

★ 별별 포인트 ★

< '밤'의 구체적 형상화 >

밤 ─┬─ 한 허리를 베어 내어
     │   ↓
     ├─ 서리서리 넣었다가
     │   ↓
     └─ 굽이굽이 펴리라

➜ 추상적인 시간 개념을 구체적인 사물로 형상화하여 임과 더 오래 있고 싶은 마음을 강조함.

읽기 포인트》 화자가 '묏버들'을 임에게 보내려는 이유를 바탕으로 하여 화자가 현재 처한 상황은 어떠한지 생각하며 읽어 보자.

#나 묏버들 가려 | 홍랑

✤ 묏버들 가려 꺾어 보내노라 임에게
<small>산버들, 버드나뭇과의 한 종류.</small>
주무시는 창밖에 심어 두고 보소서.

밤비에 새잎이 나거든 나인가도 여기소서.

#나 핵심 태그

임에 대한 사랑을 `#_____`에 담아 임에게 보냄

★ 별별 포인트 ★

< '묏버들'의 의미 >

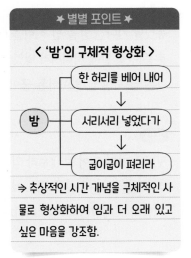

- 화자의 사랑과 그리움이 형상화된 소재
- 화자의 분신
- 임이 자신을 잊지 않길 바라는 소망과 임의 곁에 있고 싶은 마음

[01~08] 다음 글을 읽고 물음에 답하시오.

#가

동짓달 기나긴 밤을 한 허리를 베어 내어,
춘풍 이불 안에 서리서리 넣었다가,
정든 임 오신 날 밤이어든 굽이굽이 펴리라.

#나

묏버들 가려 꺾어 보내노라 임에게
주무시는 창밖에 심어 두고 보소서.
㉠밤비에 새잎이 나거든 나인가도 여기소서.

#다 황진이와 홍랑

황진이는 개성 출신의 기생으로 본명은 '황진', 필명은 '진이', 기명은 '명월'이다. 확실한 생존 연대는 미상이나, 조선 중종 때의 사람으로 본다. 미모가 뛰어나고 노래도 잘했을 뿐만 아니라 문학적인 재능도 뛰어났다. 지금까지 전해지는 황진이의 시조로는 「청산리 벽계수야」, 「동짓달 기나긴 밤을」, 「어져 내 일이야」 등이 있다. 이중에서 「동짓달 기나긴 밤을」은 연인과의 사랑을 읊은 시조이다.

홍랑은 조선 선조 때의 기생으로 함경북도 홍원에서 태어났다. 당시 시인이자 문장가로 이름이 높던 최경창이 경성에 갔을 때, 홍랑도 같이 따라갔다. 홍랑은 최경창과 작별하고 고향으로 돌아가가 「묏버들 가려 꺾어」라는 시조를 지어 최경창에게 보냈다.

오엑스 확인 문제

01 #가와 #나에 대한 설명으로 맞으면 ○표, 틀리면 ✕표를 하시오.

화자 #가의 화자는 오래 기다린 임과 다시 만났다. ☐

시어 #가에서 '동짓달 기나긴 밤'은 임이 없는 시간을 나타낸다. ☐

표현 #나의 화자는 사물을 통해 자신의 마음을 전하고 있다. ☐

02 #다를 바탕으로 #가와 #나를 이해할 때, 그 설명으로 적절하지 않은 것은?

① #가와 #나의 작자는 둘 다 기생 신분임을 알 수 있다.
② #가와 #나는 둘 다 여성 작가의 작품이라고 볼 수 있다.
③ #가와 #나의 작자는 둘 다 같은 시기에 활동했음을 알 수 있다.
④ #가와 #나의 '임'은 둘 다 화자가 사랑하는 연인이라고 볼 수 있다.
⑤ #가와 #나는 둘 다 일정한 형식을 지켜야 하는 시조임을 알 수 있다.

03 #가와 #나를 낭송하기 위해 끊어 읽은 것으로 적절한 것은?

① 동짓달 / 기나긴 밤을 / 한 허리를 / 베어 내어,
② 춘풍 이불 안에 / 서리서리 / 넣었다가,
③ 정든 임 / 오신 날 / 밤이어든 / 굽이굽이 / 펴리라.
④ 묏버들 가려 / 꺾어 / 보내노라 / 임에게
⑤ 주무시는 / 창밖에 심어 / 두고 보소서.

04 **#가**의 표현상 특징으로 가장 적절한 것은?

① 순 우리말보다는 한자어를 사용하여 표현하고 있다.
② 소리를 흉내 내는 말을 사용하여 생동감을 주고 있다.
③ 화자의 분신과도 같은 자연물을 소재로 활용하고 있다.
④ 대조되는 계절을 제시하여 화자의 외로운 처지를 부각하고 있다.
⑤ 추상적인 시간을 구체적인 사물로 표현하여 화자의 소망을 강조하고 있다.

05 다음은 **#가**에서 대조되는 시구를 정리한 것이다. A에 들어갈 시구로 적절한 것은?

동짓달 기나긴 밤	↔	A
부정적인 시간		긍정적인 시간

① 한 허리를 베어 내어
② 춘풍 이불 안에
③ 서리서리 넣었다가
④ 정든 임 오신 날 밤
⑤ 굽이굽이 펴리라

06 **보기**의 설명에 해당하는 시어를 **#나**에서 찾아 쓰시오.

보기
• 산에서 나는 버드나무의 가지를 가리킴.
• 임을 그리워하는 화자의 마음이 담겨 있음.

_____

07 **#나**의 화자의 의도를 고려할 때, ㉠에 담긴 화자의 소망으로 가장 적절한 것은?

① 당신과 맺은 약속을 지켰습니다.
② 언제나 당신 곁에 있고 싶습니다.
③ 거리가 멀어지면 마음도 멀어집니다.
④ 항상 새로운 모습으로 시작하렵니다.
⑤ 자연의 섭리대로 살아가기를 바랍니다.

08 **#가**와 **#나**의 화자가 대화를 나눈다고 할 때, 그 내용으로 적절하지 <u>않은</u> 것은?

#가의 화자
① 임이 안 오실 때는 하루가 너무 길어요.

#나의 화자
② 안 오시는 것도 걱정이지만 저를 잊을까 봐 걱정이 돼요.

#가의 화자
③ 우리 임은 봄에는 오신다고 약속했어요.

#나의 화자
④ 저를 잊지 않게 묏버들을 꺾어서 보내야겠어요.

#가의 화자
⑤ 우리 둘 다 임을 그리워하는 처지는 같네요.

8문제 중에
_____ 문제 맞혔어!

별별 인물

어휘로
마무리

기억해 보자!

01 유충렬전 02 심청전 03 허생전
04 동명왕 신화 05 동짓달 기나긴 / 뭿버들 가려

01 다음 문장에 들어가기에 알맞은 어휘를 찾아 연결하시오.

한줄 Hint

빈칸에는 모두 모양을 나타내는 말이 들어간다. (1)은 술의 모양, (2)는 강물의 모양, (3)은 머리카락의 모양을 나타낸다.

(1) 허생의 허리띠는 술이 ☐☐☐☐ 풀려 있었다.

• • ㉠ 굽이굽이

(2) 강물이 ☐☐☐☐ 흘러가는 모습이 정말 아름다웠다.

• • ㉡ 듬성듬성

(3) 심 봉사의 얼굴은 몰라볼 정도로 변해 있었고, 흰 머리카락이 ☐☐☐☐ 나 있었다.

• • ㉢ 너덜너덜

한줄 Hint

'유충렬'이라는 이름에 이미 제시되어 있다.

02 「유충렬전」의 주제를 나타내는 어휘이자, 다음 빈칸에 들어갈 어휘로 적절한 것은?

"경이 이게 웬 말인가. 옛날 주성왕도 다른 사람의 말을 듣고 충신을 의심한 잘못을 뉘우치고 어진 임금이 되었다고 하는데 충신이 죽는 것은 하늘이 정한 운명이라. 그런 말을 하지 말고 ☐☐☐ 을 다하여 황제를 도우시면 태산 같은 공로를 잊지 않을 것이며 하해 같은 은혜는 죽은 뒤에라도 갚으리라."

① 충성   ② 효성   ③ 정성
④ 지성   ⑤ 감성

한줄 Hint

(1)의 첫 글자는 '장'이고, (2)의 첫 글자는 '눈'이다.

03 다음 뜻풀이와 초성을 보고 알맞은 어휘를 쓰시오.

(1) '장인'을 낮잡아 이르는 말. ㅈ ㅇ ㅂ ㅊ

(2) 몹시 밉거나 싫어 늘 눈에 거슬리는 사람. ㄴ ㅇ ㄱ ㅅ

04 다음 밑줄 친 말과 바꾸어 쓸 수 있는 어휘로 적절하지 **않은** 것은?

한줄 Hint ✎★

'칼, 호미, 포목'을 모두 팔고 대신 '말총'을 사들인 것이다.

> 그는 다시 칼, 호미, 포목 등을 가지고 제주도로 건너가서 말총을 <u>죄다</u> 사들이면서 말했다.

① 모두　　　　　② 몽땅　　　　　③ 모조리
④ 남김없이　　　⑤ 어김없이

05 '아득하다'의 뜻을 「국어사전」에서 찾으니 다음과 같았다. 제시된 문장에 쓰인 '아득하다'의 뜻을 찾아 그 기호를 쓰시오.

한줄 Hint ✎★

사전에서 예로 든 문장과 제시한 문장을 비교하여 비슷한 의미를 찾는다.

> ㉠ 보이는 것이나 들리는 것이 희미하고 매우 멀다. **예** <u>아득한</u> 수평선.
> ㉡ 까마득히 오래되다. **예** <u>아득한</u> 옛날.
> ㉢ 정신이 흐려진 상태이다. **예** 며칠을 굶었더니 정신이 <u>아득하다</u>.
> ㉣ 어떻게 하면 좋을지 몰라 막막하다. **예** 앞으로 살 길이 <u>아득하다</u>.

(1) 그놈의 말을 듣고 충신을 귀양 보내고 이런 어려움을 당하시니 하늘과 땅이 <u>아득하고</u> 해와 달은 빛을 잃었습니다.

(2) 아버지 신세 생각하며 저 죽을 일 생각하니 정신이 <u>아득하고</u> 몸이 떨려 밥을 먹지 못했다.

06 다음을 보고 빈칸에 들어갈 어휘를 쓰시오.

한줄 Hint ✎★

앞말과 뒷말을 그대로 합쳐서 적으면 된다.

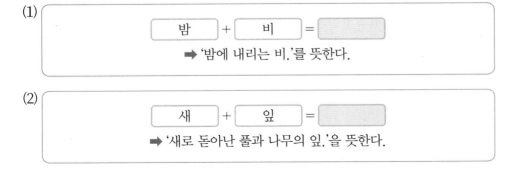

(1)
밤 ＋ 비 ＝ 　　　
➡ '밤에 내리는 비.'를 뜻한다.

(2)
새 ＋ 잎 ＝ 　　　
➡ '새로 돋아난 풀과 나무의 잎.'을 뜻한다.

별별 인물

어휘로
마무리

漢字 한자 성어

07 다음은 '허생'이 큰돈을 벌게 된 과정이다. 이를 나타내는 한자 성어로 가장 적절한 것은?

> 허생은 대추, 밤, 감, 배며 석류, 귤, 유자 같은 과일을 모조리 두 배의 값으로 사들였다. 허생이 과일을 몽땅 샀기 때문에 온 나라가 잔치나 제사를 못 치를 형편에 이르렀다. 얼마 안 가서, 허생에게 두 배의 값으로 과일을 팔았던 상인들이 도리어 열 배의 값을 주고 사 가게 되었다.

ⓐ 다다익선(多多益善): 많으면 많을수록 더욱 좋음.
ⓑ 일거양득(一擧兩得): 한 가지 일을 하여 두 가지 이익을 얻음.
ⓒ 매점매석(買占賣惜): 물건값이 오를 것을 예상하여 많이 사두었다가 값이 오른 뒤 팖.

💬 관용어

08 '심청'이 처한 상황을 고려할 때, 다음 밑줄 친 관용어의 의미로 가장 적절한 것은?

> "이상한 일도 있더구나. 간밤에 꿈을 꾸니, 네가 큰 수레를 타고 한없이 가더구나. 수레라 하는 것이 귀한 사람이 타는 것인데 우리 집에 무슨 좋은 일이 있으려나 보다. 그렇지 않으면 장 승상 댁에서 가마 태워 데려가려나 보다."
> 심청이는 저 죽을 꿈인 줄 짐작하고 둘러대기를,
> "그 꿈 참 좋습니다."
> 하고 진짓상을 물리고 밥을 먹으려 하니 <u>간장이 썩는</u> 눈물은 눈에서 솟아나고, 아버지 신세 생각하며 저 죽을 일 생각하니 정신이 아득하고 몸이 떨려 밥을 먹지 못했다.

ⓐ 마음이 몹시 상하다.
ⓑ 마음이 약하고 숫기가 없다.
ⓒ 가슴이 조마조마하거나 흥분되다.

별별 사건

01
사씨남정기
김만중

배경 중국 명나라 초기

사건 유씨 가문의 정실 부인인 사 씨가 첩인 교 씨의 모함으로 고난을 겪지만, 결국 가문의 평화를 되찾음.

인물 유 한림(유연수)
재능이 뛰어나지만, 교 씨의 계략에 넘어가 사 씨를 쫓아냄.

정실 부인

인물 사 씨(사정옥)
용모와 덕행이 뛰어나며 유교 도덕에 순종함.

첩

인물 교 씨(교채란)
용모가 뛰어나나 부귀를 위해서 악행을 저지름.

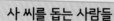
사 씨를 돕는 사람들

교 씨를 돕는 사람들

시부모

유현·최씨 부인

유현의 누이

두씨 부인

묘혜 스님

고모와 조카 사이

잉 낭자(잉죽영)

동청

친구 사이

냉진

납매

자매 사이

설매

읽기 포인트 » 유 한림과 사 씨가 재회하여 그동안의 사연을 나누고, 악행을 일삼던 동청이 비극적 결말을 맞는다. 등장인물들에게 일어난 사건을 추측하며 읽어 보자.

#1 한림은 묘혜의 노래를 듣고 무슨 뜻인 줄 알지 못하다가 배 안쪽으로 들어가

니 웬 부인이 <u>소복단장</u>으로 앉아 있다가 한림을 보자마자 슬피 울었다. 한림이 놀
　　　　　　아래위를 하얗게 차려입은 차림.

랍고도 이상스러워 자세히 살펴보니 바로 사 씨인지라 슬프고도 반가워 서로 붙

들고 한바탕 통곡을 하였다. 이윽고 한림이 울음을 그치고

"여기서 이렇게 만날 줄은 <u>천만뜻밖이오.</u>"
　　　　　　　　　　전혀 생각하지 않은 상태.

첫말을 떼고는 깊이 탄식하였다.

"내 낯을 들어 부인을 보니 부끄러움을 이기지 못하겠거니 하물며 무슨 말을 하

겠소. 그러나 부인은 진정하고 나의 <u>눈뜬 소경</u> 이야기를 들어 주오."
　　　　　　　　　　　　　　　　'시각 장애인'을 낮잡아 이르는 말.

하고 시작하더니 ✷ 한림은 요사스러운 교 씨가 저지른 전후 악행을 설매에게 들

은 대로 죄다 말했다. 교 씨가 십랑과 더불어 온갖 못된 짓을 하던 일이며, 또 설

매가 옥가락지를 훔쳐 동청에게 주고 동청이 다시 냉진에게 보내 자기를 속여

넘긴 사실들을 낱낱이 말하니, 사 씨의 옥 같은 얼굴에서 두 줄기 눈물이 쉼 없이

흘러내렸다.

"<u>상공</u>이 이런 말씀을 아니 하셨으면 제가 죽어 저승에 돌아간들 어찌 눈을 감으
　'재상'을 높여 이르던 말.

오리까."

교 씨가 납매를 <u>충동질하여</u> 장주를 죽이고 설매를 시켜 춘방에게 미루던 것이
　　　　　　어떤 일을 하도록 남을 부추겨.

며, 동청이 엄숭에게 <u>참소하여</u> 자기를 죽을 곳으로 귀양 보낸 일과 또 교 씨가 집
　　　　　　남을 헐뜯어서 죄가 있는 것처럼 꾸며 윗사람에게 고하여 바쳐.

안의 보물들을 깡그리 휩쓸어 가지고 동청을 따라간 사실을 말하니, 사 씨 기가

막혀 무어라 말을 못 하고 있는데 한림이 다시 한탄하기를,

"다른 것은 그만두더라도 우리 인아가 어미를 잃고 또 아비를 잃어 강물 속 외로

운 혼이 된 듯하니 그 애가 가엾어 가슴이 미어지오."

하고는 가슴을 치며 눈물을 비 오듯 흘렸다. 사 씨가 이 말을 듣자 외마디 소리를

지르고 정신을 잃고 말았다. 한림이 부인을 <u>구완하여</u> 사 씨가 겨우 눈을 뜨니 한림
　　　　　　　　　　　　　　아픈 사람을 간호하여.

이 부인을 위로하였다.

"설매 말을 들으니 차마 인아를 물속에 넣을 수 없어 강가의 숲속 풀밭에 뉘어

놓았다 하니, 혹시 하늘이 살피시어 다행히 살아 있을지 뉘 알겠소."

"설매의 말을 어찌 믿으며 설사 수풀 위에 뉘어 놓았다 하더라도 인적 드문 강

가에서 그 애가 어찌 살기를 바라리까?"

★ 별별 포인트 ★

< 사건의 요약적 제시 >

● 첩으로 들어온 교 씨가 정실 부인인 사 씨를 쫓아내기 위해 꾸민 음모를 요약적으로 보여 줌.

● 사 씨와 유한림이 재회하여 사 씨가 그동안의 일을 모두 알게 됨.

#1 **핵심 태그**

#[　　　]에서 사 씨와 재회하고 그동안 교 씨가 저지른 악행을 말하는 유 한림

★ 별별 포인트 ★

< '유 한림'과 '사 씨'의 재회 >

유 한림은 동청과 교 씨가 보낸 자객을 만나 도망치다가, 육 년 전 꿈에 나타난 시부모의 말대로 미리 배를 매어 둔 사 씨의 배에 탐.

→ 우연히 일어나는 사건과 비현실적인 내용은 고전 소설의 특징임.

#2 둘이 슬픔에 겨워 한동안 말을 주고받다가 한림이 문득 생각난 듯 부인에게 물었다.

"동정호 물가를 지나다가 우연히 소나무 줄기에 쓴 글을 보니 부인이 물속에 몸을 던졌음이 분명하므로 제사나 지내려고 길가 주막집에 들어가 제문을 쓰려는
죽은 사람에 대하여 애도의 뜻을 나타낸 글.
데, 갑자기 동청이 보낸 무리를 만나 영락없이 죽게 된 때에, 뜻밖에 부인의 손길
조금도 틀리지 않고 꼭 들어맞게.
로 살아났으니 부인은 어데서 왔으며 이 일을 어찌 알고 배를 저어 찾아왔소?"

사 씨는 그제야 그동안 겪은 곡절 많은 사연을 대강 말하였다.
순조롭지 않게 얽힌 이런저런 복잡한 사정이나 까닭.
"제가 선산의 묘 아래 있을 때 도적이 고모님 글씨를 위조한 거짓 편지를 가지고
조상의 무덤이 있는 산.
와서 화를 당하게 되었는데, ❀시부모님께서 꿈에 나타나 육 년 뒤 사월 보름에 배를 대어 위급한 사람을 구하라 하셨나이다. 그런데 그 뒤 다행히 저 스님을 만나 여태껏 의지하며 잔명을 보존하였으며, 그 소나무의 글은 당장 앞길이 막막
얼마 남지 않은 목숨.
하여 죽으려 할 때 썼던 것이옵니다. 허나 여기서 오늘 상공을 만날 줄이야 어찌 꿈엔들 뜻하였사오리까."

#3 한편 동청과 교 씨는 유 한림에게 보낸 자객들이 돌아와 고하기를 난데없는 여자가 동정호에 나타나 유 한림을 태워 가지고 자취 없이 사라졌다고 하자, 더욱 놀라서, / "이제 유 한림이 서울에 올라가면 우리 죄상을 임금께 아뢰고 분을 풀
죄의 구체적인 내용.
려 할 것이니 우리가 어찌 마음을 놓을 수 있으랴."

하고는 장정들을 다시 불러 큰 소리로 명하였다.

"무슨 수를 쓰든지 유 한림을 찾아내어 기어코 잡아들이라!"

이즈음 냉진은 의지할 곳이 없어 이리저리 떠돌아다니다가 문득 생각하기를,

'이제 동청이 큰 벼슬을 하였다 하니 내 계림에 가서 그에게 의지하리라.'

하고 동청을 찾아갔다. 동청이 냉진을 보자 반가이 맞아들여 잘 대접하고 심복으
마음으로 정성을 다하여 순종함. 또는 그런 사람.
로 삼았다. 그 뒤 냉진은 동청의 손발이 되어 악한 짓을 서슴없이 하여 백성들과 행인들의 재물을 빼앗으니 사람치고 동청을 죽일 놈이라 욕하지 않는 사람이 없었다. 동청을 원망하는 소리가 날로 높아 가나 대신들조차도 엄숭의 권세가 두려워 감히 입을 열지 못하였다. / 교 씨가 계림에 간 지 오래지 아니하여 아들 봉주가 병들어 죽으니 교 씨는 슬픔을 이기지 못하여 비단옷에 좋은 음식이 조금도 위안이 되지 못하였다. 동청이 이때 큰 고을의 태수로 일이 많아 자주 집을 비우자, 냉진이 집의 안팎일을 맡아보았다. 그러다 둘이 몰래 정을 통하니 마치 지난날 유 한림 집에서 동청과 교 씨가 바람을 피운 것과 같았다.

#4 이때 동청은 엄숭에 대한 아첨이 날로 심해져 십만 <u>보화</u>를 갖추어 엄 승상의
썩 드물고 귀한 가치가 있는 보배로운 물건.
생일날에 바치고자 냉진을 서울로 올려 보냈다. 냉진이 서울에 와서 들으니, 임금이
엄숭의 <u>간악무도함</u>을 깨달아 하루아침에 그의 벼슬을 떼고 옥에 가두어 넣고는,
간사하고 악독하며 도리에 어긋나는 데가 있음.

"엄숭의 재산을 모조리 몰수하라!"

하였거늘, 냉진이 이 사실을 알고 속으로 생각하였다.

'동청의 죄악이 몹시 많지만 사람들이 모두 엄숭이 두려워 감히 말을 못 하였는
데 이제 엄숭이 떨어졌으니 내 이런 때에 마땅히 꾀를 쓰리라.'

냉진이 바로 대궐 <u>문루</u>에 올라가 신문고를 치니 관리가 냉진을 불러들여 까닭
궁문, 성문의 바깥문 위에 지은 다락집.
을 묻자, 냉진이 말하였다.

"소생은 북쪽 사람으로서 남쪽에 볼일이 있어 다니러 갔더니 계림 태수 동청이
악독하여 <u>학정</u>을 일삼을 뿐 아니라 백성을 못살게 하고 행인들의 재물까지 빼
포학하고 가혹한 정치.
앗으니 참으로 그 죄가 크더이다."

하면서 못내 분한 듯 눈물을 짜며 시치미를 뗐다.

관리가 이 일을 위에 아뢰니 임금이 크게 노하여,

"동청을 당장 잡아 가두라."

하고 명을 내렸다. 한편으로 조사를 하여 보니 과연 냉진의 말과 조금도 다름이 없
었다. ✄ 이제 조정에 엄숭이 없으니 누가 동청을 구하랴. 동청은 큰 재물을 들여
살기를 꾀하나 재물이 어찌 그를 살리며 원통한 백성들 또한 누가 그를 동정하랴.
속절없이 동청은 네거리에 끌려가 목 없는 귀신이 되고 재산은 깡그리 몰수되니
황금이 사만 냥이오, 비단 필과 보배는 이루 다 헤아릴 수 없었다.

냉진은 곧 계림에 사람을 보내 교 씨를 서울로 데려왔으나 번화한 성안에 있는
것이 불편하여 <u>산동</u>으로 갔다. 교 씨는 본래 냉진과 사는 것이 소원인 데다 몸에
산속에 있는 마을.
지닌 보배가 많고 냉진 또한 가진 돈이 십만 금이라 두 사람은 바람이 나서 재물
을 남김없이 마차에 싣고 길을 떠났다.

한 곳에 이르러 주막집에 들어간 냉진과 교 씨는 마주 앉아 기분 좋게 술을 퍼마
시더니 둘 다 잔뜩 취하여 그 자리에서 곯아떨어졌다. 냉진의 짐을 싣고 가던 마부
는 본디 도적놈이라 냉진의 <u>행장</u>에 재물이 많은 것을 알고 욕심이 나서 그 밤중으
여행할 때 쓰는 물건과 차림.
로 모두 훔쳐 가지고 달아났다. ✄ 새벽녘 잠에서 깨어난 냉진과 교 씨가 행장을
찾으니 짐이란 짐은 온데간데없이 사라지고 마부조차 보이지 않았다. 졸지에 알
거지 신세가 된 둘은 분하기 그지없어 곧장 그 고을에 송사하였으나 며칠이 지나
도록 끝내 도적을 잡지 못하였다.

★ **별별 포인트** ★

< 악인의 결말 >

동청	• 간신 엄숭에게 빌붙어 권세를 누림. • 엄숭의 몰락과 냉진의 배신으로 몰락함.
냉진과 교 씨	• 냉진은 동청을 배신하여 재산을 가로채고 교 씨는 유씨 집안의 재산을 깡그리 가지고 나옴. • 마부에게 재물을 모두 도둑맞아 알거지가 됨.

⇩

권선징악, 사필귀정

---

01 사씨남정기

#4 핵심 태그

냉진의 배신으로 몰락하는
과 도둑을 맞아
알거지가 된 냉진과 교 씨

작품 줄거리 요약하기

앞부분 줄거리

명나라 재상 유현의 아들 유연수는 15세에 과거에 급제하여 한림학사가 된다. 유 한림은 덕성과 재주, 학식을 겸비한 사 씨와 혼인하지만 십 년이 지나도 아이가 없자 교 씨를 첩으로 들인다. 교 씨는 아들 장주를 낳지만, 사 씨가 바로 아들 인아를 낳아 유 한림이 인아만 예뻐하는 것을 보고 자신의 자리를 걱정한다. 교 씨는 사 씨가 냉진과 바람을 피운 것처럼 모함하고, 동청의 사주를 받은 납매가 장주를 죽인 일마저 사 씨에게 뒤집어 씌운다.

유씨 집안에서 쫓겨난 사 씨는 꿈에 나타난 시부모님의 말을 듣고 남쪽으로 향하고, 그곳에서 묘혜 스님을 만나 스님의 암자에서 살게 된다.

제시 장면 줄거리

유배를 떠났다가 풀려난 유 한림은 동청과 교 씨 일행을 보게 되고 그동안의 일을 설매에게 모두 듣는다. 동청 일당에게 쫓기던 유 한림은 묘혜 스님과 사 씨가 타고 있는 **1** ☐☐ 에 올라 목숨을 구한다.

냉진은 동청에게 붙어 갖은 악행을 일삼다가 동청의 뒤를 봐 주던 간신 엄숭이 옥에 갇히자, 동청을 배신하고 그를 관아에 고발한다. 동청이 죽자 냉진은 교 씨와 길을 떠나지만, 도중에 **2** ☐☐ 에게 모든 재물을 도둑맞고 만다.

뒷부분 줄거리

유 한림은 임 씨를 첩으로 들이게 되는데, 임 씨가 데려온 동생이 아들 인아임이 밝혀지고 유 한림과 사 씨는 기뻐한다. 한편 냉진은 도적질을 하다 잡혀 죽고, 교 씨는 기생이 된다. 이러한 교 씨를 상서가 된 유 한림이 찾아내어 벌한다.

사씨남정기

---

01 이 글에 대한 설명으로 맞으면 ○표, 틀리면 ✕표를 하시오.

인물 유 한림과 사 씨는 부부 사이이다. ☐

사건 동청은 유 한림을 죽이기 위해 자객을 보냈다. ☐

배경 사 씨와 유 한림이 재회한 곳은 산속이다. ☐

소재 '옥가락지'는 사 씨가 냉진에게 직접 준 것이다. ☐

02 **#1** 에서 알 수 있는 '교 씨' 일당이 한 일이 <u>아닌</u> 것은?

① 교 씨는 동청과 바람을 피웠다.
② 동청은 엄숭에게 참소하여 유 한림을 귀양 보냈다.
③ 교 씨가 집안의 보물들을 모두 가지고 동청을 따라갔다.
④ 납매는 장주를 죽이고 이 일을 춘방에게 뒤집어씌웠다.
⑤ 설매는 사 씨의 아들인 인아를 강물 속에 빠뜨려 죽였다.

03 별별 포인트 ✿ 이 글의 서술상 특징으로 적절하지 <u>않은</u> 것은?

① '한편', '이때' 같은 말로 장면이 전환된다.
② 주로 등장인물들 간의 대화로 사건이 진행된다.
③ 서술자가 자신의 견해나 판단을 직접 서술한다.
④ 지금까지의 사건을 요약해서 전달하는 부분이 있다.
⑤ 사건이 필연적이 아니라 우연히 일어나는 경우가 많다.

#3 이튿날 밤에 진사가 들어와서 저에게 말하였습니다.

"도망가는 것이 좋겠소. 어제 지은 시에서 대군의 의심을 샀으니, 오늘 밤에 도망가지 않으면 <u>후환</u>이 있을까 두렵소."
어떤 일로 말미암아 뒷날 생기는 걱정과 근심.

"어제 저녁 꿈에 한 사람을 보았는데, 얼굴이 흉악하고 스스로 <u>모돈 선우</u>라 칭하
중국 전한 시대 흉노의 제3대 왕. 한나라를 압박하여 화친을 맺음.
면서 말하기를, '이미 오래된 약조가 있는 까닭으로 장성 밑에서 오래도록 기다렸노라.' 하기에 깨자마자 놀라서 일어났거니와 꿈자리가 <u>상서롭지</u> 아니하니 낭
복되고 길한 일이 일어날 조짐이 있지.
군님도 생각하여 보옵소서." / "꿈은 허망하다고 하는데 어찌 믿을 수 있겠소."

"그 장성이라고 말한 것은 궁궐을 싸고 있는 성벽이며, 그 모돈이라고 말한 것이 특이니, 낭군님은 그 노복의 마음을 잘 알고 계신지요."

"그놈은 본래 미련하고 <u>음흉하지마는,</u> 지금까지 나에게 충성을 다하였고, 오늘
겉으로는 부드러워 보이나 속으로는 엉큼하고 흉악하지마는.
낭자와 더불어 좋은 인연을 맺게 한 것이 다 그놈의 계교요, 어찌 처음에는 충성을 바치다가 나중에는 악한 일을 하겠소."

"낭군님의 말씀을 어찌 감히 거역하리이까. 다만 자란과 저는 정이 형제와 같으니 고하지 않을 수 없나이다."

✷ 바로 자란을 불러 세 사람이 둘러앉아서 진사의 계교를 고하였더니, 자란이 크게 놀라며 꾸짖어 말하더이다.

"서로 즐거워한 지가 오래 되었는데 어찌 스스로 <u>화근</u>을 빨리 오게 하느냐. 한두
재앙의 근원.
달 동안 서로 사귐이 또한 족하거늘 담을 넘어 도망하려 하다니, 어찌 사람으로서 차마 할 수 있으리요. 대군이 운영에게 뜻을 기울이신 지 이미 오래 되었으니 도망할 수 없음이 그 하나요, 부인이 근심해 주시고 사랑해 주심이 지극하였으니 도망하지 못함이 그 둘째요, 화가 <u>양친</u>에게 미칠 것이니 도망할 수 없음이 그
부친과 모친을 아울러 이르는 말. 부모.
셋째요, 죄가 서궁에 미칠 것이니 도망할 수 없음이 그 넷째다. 또한 천지는 한 그물 속이니 하늘로 올라가거나 땅으로 들어가지 않는 이상 도망간들 어디로 가리요. 혹 잡힐 것 같으면 그 화는 어찌 너 하나로 그치겠느냐. 꿈자리가 상서롭지 못하다 함은 그만두고라도 만약 혹 길하다 하면 네가 즐거이 가겠는가. 너의 얼굴이 좀 쇠하면 대군의 사랑도 풀어질 것이니, 일이 되어 가는 형편을 보아 병이라 칭하고 누워 있으면 반드시 고향으로 돌아가도록 허락해 주실 것이다. 그 때 낭군과 함께 손을 잡고 같이 돌아가서 <u>해로함</u>이 가장 큰 계교이니, 이와 같
부부가 한평생 같이 살며 함께 늙음.
은 것을 생각해 보지 못하였는가. 이제 그와 같은 계교로 네가 비록 사람을 속일 수는 있으나, 감히 하늘을 속일 수야 있겠느냐?" / 이에 진사는 일이 이루어지지 못할 것을 알고는 탄식하고 한탄하면서 눈물을 머금고 물러갔습니다.

★ 별별 포인트 ★

< '자란'의 충고 >

• 대군이 운영에게 마음이 있음.

• 대군의 부인이 운영을 아끼고 사랑함.

• 운영이 도망가면 운영의 부모님에게 화가 미칠 것임.

• 운영이 도망간 죄가 서궁의 궁녀들에게 미칠 것임.

➡ 자란은 네 가지 이유를 들어 김 진사의 계교를 반대함.

#3 핵심 태그
운영이 김 진사와 함께
도망가려고 하자 이를 말리는

#

작품 줄거리 요약하기

앞부분 줄거리

안평 대군이 살았던 수성궁에 놀러간 선비 유영은 술을 먹고 잠이 들고, 꿈속에서 김 진사와 운영을 만나 그들의 이야기를 듣게 된다.

먼저 운영이 이야기를 시작한다. 안평 대군은 궁녀 중에서 나이가 어리고 얼굴이 아름다운 열 명을 골라서 가르치는데, 운영도 그중 하나였다. 대군은 궁녀들을 항상 궁 안에만 있게 하고, 바깥 사람과는 이야기도 못 나누게 하였다.

그러나 대군은 나이도 어리고 착한 김 진사만큼은 궁녀들을 만날 수 있게 하였다. 그렇게 만난 김 진사와 운영은 사랑에 빠지게 되고, 두 사람은 다른 궁녀들과 무녀의 도움으로 몰래 만남을 이어 간다.

제시 장면 줄거리

사랑을 키워 가던 두 사람은 탈출을 계획한다. 그러나 김 진사의 종인 **1** [　] 이 김 진사를 죽이고 운영과 재물을 가로챌 계획을 꾸민다. 궁녀 **2** [　][　] 은 운영과 김 진사의 계획을 듣고 둘을 만류한다.

뒷부분 줄거리

결국 특의 간계로 김 진사와 운영의 관계가 밝혀지고, 대군이 궁녀들을 꾸짖자 운영이 자결한다.

김 진사가 이후의 이야기를 한다. 특이 우물에 빠져 죽고, 김 진사도 세상에 뜻이 없어 결국 아무것도 먹지 않고 죽는다.

꿈에서 깬 유영은 이들의 이야기가 적힌 책을 감추어 두고 보며 자고 먹는 일을 그만두고, 후에 명산을 두루 돌아다니며 어떻게 죽은지도 모르게 되었다.

오엑스 확인 문제

01 이 글에 대한 설명으로 맞으면 ○표, 틀리면 ×표를 하시오.

인물 | 운영과 자란은 궁녀이다. | [　]

사건 | 김 진사는 자란과 사랑에 빠진다. | [　]

배경 | 운영이 머물고 있는 곳은 남궁이다. | [　]

소재 | 이 글의 소재는 신분을 초월한 사랑이다. | [　]

별별 포인트!

02 '특'이 '김 진사'에게 알려 준 계교를 보기에서 모두 고른 것은?

보기
ㄱ. 운영을 데리고 도망가라고 한 일
ㄴ. 운영의 재산을 함께 빼돌리자고 한 일
ㄷ. 운영의 재산을 산중에다 묻어 두자고 한 일
ㄹ. 힘이 센 사람들을 시켜 운영의 재산을 밖으로 옮기자고 한 일

① ㄱ, ㄴ 　② ㄱ, ㄷ 　③ ㄷ, ㄹ
④ ㄱ, ㄷ, ㄹ 　⑤ ㄴ, ㄷ, ㄹ

별별 포인트!

03 '자란'이 '운영'과 '김 진사'가 도망가려 하는 것을 반대하는 이유로 적절하지 <u>않은</u> 것은?

① 운영의 부모님도 벌을 받게 되기 때문에
② 서궁의 궁녀들까지 벌을 받게 되기 때문에
③ 운영을 아끼던 대군의 부인에게 죄를 짓는 것이기 때문에
④ 운영에게 마음이 있는 대군을 배신하는 행위이기 때문에
⑤ 대군이 운영을 고향으로 돌려보내 준다고 약속했기 때문에

04 이 글 전체의 구성이 보기와 같다고 할 때, 이에 대한 이해로 적절하지 <u>않은</u> 것은?

보기

외화	내화	외화
유영이 꿈속에서 김 진사와 운영을 만남. →	유영이 둘의 사랑 이야기를 들음. →	유영이 꿈에서 깸.

① 내화는 운영과 김 진사가 주인공이군.
② 외화는 현재, 내화는 과거의 이야기로군.
③ 내화는 궁녀와 선비의 이룰 수 없는 사랑이야기이군.
④ 제시된 장면은 운영이 자신의 이야기를 들려주는 내화이군.
⑤ 유영은 운영과 김 진사를 도와주는 사람으로 내화에 등장하는군.

05 보기는 이 글의 마지막 장면이다. 이러한 결말이 주는 표현상의 효과로 가장 적절한 것은?

보기

이때 유영도 취하여 잠깐 누워 있다가 산새 소리에 깨어났다. 구름과 연기는 땅에 가득하고 새벽빛은 아득한데, 사방을 살펴보아도 사람은 보이지 않고, 김 진사가 기록한 책만이 있었다. 유영은 쓸쓸한 마음을 금할 길이 없어 책을 가지고 돌아왔다. 장 속에 책을 감추고 때때로 내어 보고는 망연자실하여 잠도 자지 않고 먹지도 않았다. 후에 명산을 두루 찾아다니더니, 이후의 행적을 알 수 없다고 한다.

① 운영과 김 진사의 비극적인 사랑을 강조한다.
② 운영과 김 진사에 대한 호기심을 불러일으킨다.
③ 운영과 김 진사가 실존 인물이었음을 증명한다.
④ 운영과 김 진사보다 유영의 삶을 주목하게 한다.
⑤ 운영과 김 진사에게 일어났던 일을 요약하여 제시한다.

06 '특'의 인물됨을 평가할 때, 밑줄 친 부분에 들어갈 말로 가장 적절한 것은?

특은 _____ 사람이야.

① 겉과 속이 다른
② 남을 위해 희생하는
③ 말과 행동이 일치하는
④ 태도가 올바르고 떳떳한
⑤ 남의 처지를 잘 헤아리는

07 보기를 바탕으로 이 글을 감상할 때, 그 내용으로 적절하지 <u>않은</u> 것은?

보기

조선 시대의 궁녀는 왕의 여자로, 오직 왕과 왕의 가족을 위해서 살아야 했다. 궁녀는 바깥에 함부로 나가기만 해도 용서받지 못했으며, 다른 사람을 사랑하게 될 경우 궁녀는 물론 사랑을 나눈 대상도 죽임을 당했다. 궁녀는 바깥 출입도 하지 못한 채, 인간의 자연스러운 본성인 사랑마저 제한받으며 살 수밖에 없었다.

① 운영과 김 진사의 사랑은 결코 용서받지 못할 것 같아.
② 억압된 상황 속에서도 운영과 김 진사는 인간의 본성을 따랐어.
③ 운영은 결혼도 할 수 없었고 사랑조차도 허용되지 않는 신분이었어.
④ 불합리한 현실이지만 신분 상승을 위해 노력하는 김 진사의 의지가 돋보여.
⑤ 운영과 김 진사가 사랑하는 사이라는 것을 들키면 둘 다 죽음을 면하지 못하겠어.

7문제 중에 _____ 문제 맞혔어!

49

03
흥보가

작자 미상

흥보네

인물 흥보
놀보의 동생. 마음이 선하고 행실이
바르며 우애가 깊음.
사건 제비 다리를 고쳐 주고
복을 받은 '흥보'

흥보

소재 제비
흥보에게는 은혜를, 놀보에게는
원수를 갚기 위해 각각
박씨를 물어다 줌.

배경 조선 후기, 전라도 운봉과 경상도 함양 사이

소재 박
착한 흥보는 부자로, 못된
놀보는 거지로 만듦.

놀보네

인물 놀보
흥보의 형. 욕심이 많고 심술궂음.
흥보를 내쫓고 유산을 독차지함.
사건 제비 다리를 일부러
부러뜨려 벌을 받은 '놀보'

놀보

읽기 포인트 » 놀보에게 구걸하러 갔다 매만 맞고 돌아온 흥보는 배가 고파 박을 탄다. 흥보가 박을 타는 과정과 그 후에 벌어지는 일들에서 웃음을 유발하는 요소를 파악하며 읽어 보자.

#1 [자진모리] ✻ 놀보 놈의 거동 봐라. 지리산 몽둥이를 눈 위에 번듯 들고,
판소리 장단에서 매우 빠른 장단.
"네 이놈 ✻ 흥보 놈아, 잘살기 내 복이요 못살기도 니 팔자. 굶고 먹고 난 모른다. 볏섬 주자 한들 마당에 뒤주 안에 다물다물 들었으니 너 주자고 뒤주 헐며,
물건이 무더기무더기 쌓인 모양.
돈을 주자 한들 곳간 금궤 안에 가득가득 환을 지어 떼돈이 들었으니 너 주자고 궤 돈 헐며, 겨를 주자 한들 구진방 우리 안에 돼지 떼가 들었으니 너 주자고 돼지 굶기며, 싸라기 주자 한들 누런 닭, 흰 닭 수백 마리가 턱턱 하고 꼭꼬 우니 너 주자고 닭 굶기랴."

몽둥이를 들어 메고 / "네 이놈, 강도 놈."

좁은 골 벼락 치듯, 담에 걸친 구렁이 치듯 후다닥 철퍽.

"아이구 박 터졌소." / "이놈."

후닥닥. / "아이구 다리 부러졌소, 형님."

흥보가 기가 막혀 몽둥이를 피하느라고 올라갔다가 내려왔다가, 대문을 걸어 놓으니 날도 뛰도 못하고 그저 퍽퍽 맞는데, 안으로 쫓겨 들어가며

"아이구 형님 날 좀 살려 주오. 아이구 형수씨 사람 좀 살려 주오." 〈중략〉

#2 [진양조] "가난이야, 가난이야. 원수같은 가난이야. 잘살고 못살기는 묘 쓰
판소리 장단에서 가장 느린 장단.
기에 달렸는가? 북두칠성님이 집 자리에 떨어질 적에 수명과 복을 점지하는 것이냐? 어떤 사람은 팔자가 좋아 고대광실 높은 집에 호가사로 잘사는데, 이 신
매우 크고 좋은 집. 화려하게 잘 지은 집.
세는 어찌하여 밤낮으로 벌어도 삼순구식조차 할 수 없고, 우리 집의 가장은
삼십 일 동안 아홉 끼니밖에 먹지 못한다는 뜻으로, 몹시 가난한 상황.
부황이 나고, 자식들은 굶어 죽을 지경이니, 이것이 모두 다 웬일이냐? 차라리
오래 굶주려서 살가죽이 들떠서 붓고 누렇게 되는 병.
내가 죽으려네."

이렇듯이 울음을 우니 자식들도 모두 흥보 마누라를 따라서 우는구나.

[자진모리] 흥보가 들어온다, 박흥보가 들어와.

"여보소, 마누라. 여보소, 이 사람아. 자네 이게 웬일인가? 자네가 이리 슬피 울면 집안에 무슨 재수가 있으며, 남 보기 부끄럽다. 울지 말고 이리 오소. 이리 오라면 이리 와. 배가 정 고프거든 지붕에 올라가서 박을 한 통 내려다가, 박속은 끓여 먹고, 바가지는 팔아다 양식 사고 나무를 사서 어린 자식들 먹이세. 울지 말라면 울지 말어."

조선 후기의 사회상
• 경제의 발달로 부자가 된 서민이 등장함.
• 경제적으로 무능한 몰락한 양반이 생김.

⇩

흥보	• 가난하지만 선량함. • 몰락한 양반을 상징함.
놀보	• 부자이지만 욕심이 많고 심술궂음. • 부자가 된 서민을 상징함.

#1 핵심 태그
\# _____ 에게 구걸하러 갔다가 매만 맞고 쫓겨난 흥보

[아니리] 홍보가 지붕으로 올라가서 박을 톡톡 튕겨 본즉 팔구월 찬 이슬에 박이

<small>판소리의 구성 요소 중 해설에 해당하는 부분임.</small>

꽉꽉 여물었구나. 박을 따다 놓고 홍보 내외 자식들 데리고 톱을 걸고 박을 타는데,

[진양조] "시르렁 실근, 톱질이로구나. 에이 여루 당겨 주소, 이 박을 타거들랑 아

무것도 나오지 말고 밥 한 통만 나오너라. 평생 밥이 한이로구나. 에이 여루 당겨

주소. 시르르르르르르르르르. 큰 자식은 저리 가고. 둘쨋놈은 이리 오너라. 우리가

이 박을 타서. 박속일랑 끓여 먹고, 바가지는 부잣집에 팔아 목숨을 보전하며 살

아 보자. 에이 여루, 톱질이로구나. 시르르르르르르르르르, 허리띠를 졸라 매고 기

운차게 당겨 주소. 시르렁 실근 시르렁 실근 당겨 주소."

[휘모리] 실근 실근 실근 실근 실근 실근 식삭 시르렁 시르렁 실근 실근 식삭 실근

<small>판소리 장단에서 가장 빠른 장단.</small>

실근 시르렁 시르렁 시르렁 시르렁 식식 삭삭.

#2 핵심 태그
가난과 굶주림에 지쳐
#　　　　을 타는 홍보

#3 [아니리] 박을 툭 타 놓고 보니 박통 속이 훼엥. 홍보가 기가 막혀,

"아, 이거, 나간 놈의 집구석이로구나. 박속은 어느 놈이 다 파 가 버리고 껍데기

<small>박의 안에 씨가 박혀 있는 하얀 부분.</small>

만 갖다 여기 붙여 놨네. 박속 긁어 간 놈보단 박 붙여 논 놈이 재주가 더 용하기

는 용하구나." / 한쪽을 가만히 들여다보니 웬 궤 두 짝이 쑥 불거지거늘,

<small>물건을 넣도록 나무로 네모나게 만든 그릇.</small>

"아, 이거 보게. 어느 놈이 박속은 다 긁어 가고 염치가 없으니깐 조상 궤를 갖다

넣어 놨네. 이거 관가에서 나와서 알면 큰일 난다, 이거 갖다 내버려라, 이거."

홍보 마누라가 가만히 보더니마는,

"영감, 우리가 지금 이 팔자보다 더 궂게야 되겠소? 그냥 한번 열어 버리시오."

홍보가 궤 자물쇠를 가만히 보니, '박홍보 씨 열어 보라.'라는 글씨가 써 있지. 홍

보가 자문자답하며 궤를 열었겠다.

<small>스스로 묻고 스스로 대답하며.</small>

"날 보고 열어 보랬지? 암, 그렇지. 열어 봐도 괜찮겠지? 암, 그렇고 말고."

궤를 찰칵찰칵, ✹번쩍 열어 놓고 보니 흰쌀이 한 궤가 수북. 또 한 궤를 찰칵찰

칵, 번쩍 들어 놓고 보니 돈이 한 궤가 수북. 탁 비워 놓고 보니까 도로 하나 수북.

돈과 쌀을 비워 놓고 보니까 도로 수북. 홍보 마누라는 쌀을 들고 홍보는 돈을 들

고 한번 떨어 부어 보는데, 휘모리로 바짝 몰아 놓고 떨어 붓것다.

[휘모리] 홍보가 좋아라고, 홍보가 좋아라고, 궤 두 짝을 떨어 붓고 닫아 놨다 열

고 보면, 도로 하나 가득하고, 쌀과 돈을 떨어 붓고 닫아 놨다 열고 보면, 도로 하

나 가득하고, 툭툭 떨고 돌아섰다, 돌아보면 도로 하나 가득하고, 떨어 붓고 나면

도로 수북, 떨어 붓고 나면 도로 가득.

"아이고, 좋아 죽겠다! 일 년 삼백육십 일을 그저 꾸역꾸역 나오너라!"

★ 별별 포인트 ★

< '박'에서 나온 소재의 의미 >

| 쌀 | 배불리 먹고 싶은 소망 |
| 돈 | 부유하게 살고 싶은 소망 |

→ '박'은 착하게 산 홍보가 보답을 받은 것으로, '박'에서 나온 쌀과 돈은 굶주림과 가난에서 벗어나고 싶은 당대 서민들의 소망을 드러냄.

#3 핵심 태그
홍보가 탄 박에서 불거진
#　　　　이 나오는 궤와
돈이 나오는 궤

#4 [아니리] 홍보 부부가 어찌나 많이 떨어 부어 놨던지 돈이 일만 구만 냥이요, 쌀이 일만 구만 석이라. / "자, 우리가 쌀 본 김에 밥 좀 해 먹고 궤짝을 떨어 붓든지, 박을 또 타든지 하자. 우리 식구가 모두 몇이냐? 우리 내외 둘, 자식들 스물아홉, 모두 합이 서른하나로구나. 우리가 그렇게 굶주리고 있었는데 한 명 앞에 쌀 한 섬씩 못 먹겠냐? 쌀 서른한 섬만 밥을 지어라."

부피의 단위. 한 섬은 한 말의 열 배로 약 180리터에 해당함.

동네 가마솥 있는 집을 찾아다니며, 밥을 고두밥 찌듯 쪄서 일꾼을 사 가지고 밥을 져다 붓고, 져다 붓고 한 것이,

아주 되게 지어져 고들고들한 밥.

✿ 거짓말 좀 보태면, 밥 더미가 남산 더미만 한 것이었다. 홍보가 밥 먹으라고 명령을 내리는데,

"네 이놈들, 체할라. 조심해 먹으렷다! 자, 먹어라!" / 해 놓으니,

이놈들이 '우ㅡ'하더니, 온데간데없지. / "아이고, 이놈들 다 어디 갔느냐?"

자식들 찾느라고 야단이 났는데, 조금 있다가 보니, 이놈들이 모두 밥 속에서 튕겨져 나오는데, 어찌하여 밥 속에서 나오게 되었는고 하니, 이놈들이 얼마나 밥에 환장이 되었던지, ✿ '밥 먹어라!' 소리에 '우ㅡ' 하고 밥 속에 가서 총알 박히듯

지나치게 몰두하여 정신을 못 차리게 됨을 속되게 이르는 말.

콱 박혀 가지고, 당장 벌레가 콧속 파먹듯 속에서 밥을 먹어 나오는 것이었다.

홍보는 아이들과 같이 그렇게 채신머리없이 밥을 먹을 수가 없어, ✿ 밥 보고 인

말이나 행동이 경솔하여 위엄이 없고 믿을 만하지 않게.

사를 하는데, 노여워하기부터 하는 것이었다.

"밥님, 너 참 본 지 오래다. 네 소행 생각하면 마주 보기도 싫지만, 그래도 그럴 수

이미 해 놓은 일이나 짓.

없어 대면은 하거니와, 원, 사람을 그렇게 괄시한단 말이냐? 에이 섭섭다, 섭섭해!"

업신여겨 하찮게 대한단.

[자진모리] "세상인심이 간사하여 권세를 쫓는다고 한들, 너같이 심할쏘냐! 권세 집 부잣집만 기어코 찾아가서 먹다먹다 못 다 먹으면, 돼지, 개를 주고, 떼 거위, 학두루미와 심지어 오리 떼를 모두 다 먹이고도, 그래도 많이 남아서 쉬네 썩네 하지 않더냐? ✿ 나와 무슨 원수 되어 사흘 나흘 예사 굶겨, 뱃가죽이 등에 붙고, 갈빗대가 따로 나서, 두 눈이 캄캄하고, 두 귀가 멍멍하여, 누웠다 일어나면 정신이 아찔아찔, 앉았다 일어서면 두 다리가 벌렁벌렁, 말라 죽게 되었으되 찾는 일 전혀 없고, 냄새도 안 맡게 하니, 그럴 수가 있단 말이냐? 에라, 이 괘씸한 것, 그런 법이 없느니라!" / 한참 이리 꾸짖더니 도로 슬쩍 달래는데,

"히, 그것 참. 내가 이리했다 해서 노여워 아니 오려느냐? 어여뻐서 한 말이지, 미워서 한 말이 아니로다. 친구가 되는 것은 정을 맺기에 달렸으니, 자주 만나 볼 일이라, 떨어져 살지 말자. 아이개개, 내 밥이야. 옥을 준들 널 바꾸며, 금을 준들 바꿀쏘냐? 아이개개, 내 밥이야. 제발 덕분에 다정히 살자."

한참을 새 정을 붙이느라고 이런 야단이 없었구나.

★ 별별 포인트 ★

< 웃음을 유발하는 표현 >

과장적 표현	홍보 가족이 먹은 밥의 양을 과장하여 표현함.
'밥'의 의인화	밥을 의인화하여 밥에 대한 원망을 표현함.
반복적 표현	동일 어구를 반복하여 운율감을 살리고 재미를 줌.

#4 핵심 태그

엄청난 양의 밥을 지은 홍보 가족과 #＿＿＿＿＿을 꾸짖고 달래는 홍보

작품 줄거리 요약하기

앞부분 줄거리

놀보와 흥보는 형제이다. 형 놀보는 욕심이 많고 심술이 사나우며, 아우 흥보는 착하고 우애가 깊다. 부모님이 돌아가시자 놀보는 흥보를 내쫓고 유산을 독차지한다.

제시 장면 줄거리

가난에 시달리던 흥보는 **1**〔　〕의 집에 쌀을 얻으러 갔다가 매만 맞고 돌아온다.

중략 부분 줄거리

흥보는 가족의 생계를 위해 품을 팔고, 심지어 매품팔이까지 하지만 형편은 나아지지 않는다.

한편 흥보는 다리가 부러진 제비를 치료해 준다. 제비는 은혜를 갚기 위해 제비 왕에게서 박씨를 받아 흥보에게 물어다 주고 흥보는 그 박씨를 심는다.

제시 장면 줄거리

흥보 부부가 배가 고파서 박을 타니, 박 안에서 쌀과 돈이 가득 든 **2**〔　〕두 짝이 나온다. 흥보 가족은 궤에서 나온 쌀로 밥을 지어 먹고 흥보는 오랜만에 접하는 밥을 꾸짖기도 하고 달래기도 한다.

뒷부분 줄거리

박을 타고 흥보가 큰 부자가 되었다는 것을 안 놀보는 제비의 다리를 일부러 부러뜨린 뒤 치료를 해 주고 날려 보낸다. 제비는 놀보에게도 박씨를 물어다 준다.

놀보가 박을 타자 박 안에서 노인과 거지, 광대, 도적, 도깨비 등이 나와 놀보의 재산을 모두 가져간다. 흥보는 자신의 재산을 놀보에게 나눠 주고, 놀보는 개과천선하여 형제가 행복하게 산다.

오엑스 확인 문제

01 이 글에 대한 설명으로 맞으면 ○표, 틀리면 ✕표를 하시오.

인물 놀보는 흥보보다 형편이 더 어렵다. 〔　〕

사건 흥보는 굶주림에 지쳐 박을 탔다. 〔　〕

배경 빈부 격차가 심했던 조선 후기가 배경이다. 〔　〕

소재 흥보는 박 때문에 그나마 있던 재산도 모두 없앤다. 〔　〕

02 이 글에 대한 설명으로 적절하지 **않은** 것은?

① 창과 아니리로 구성되어 있다.
② 서술자가 사건을 요약하여 전달하고 있다.
③ 의성어와 의태어를 사용하여 생동감을 주고 있다.
④ 비슷한 문장 구조를 반복하여 리듬감을 주고 있다.
⑤ 인물이 처한 상황과 장면에 따라 장단을 달리하고 있다.

03 이 글의 내용으로 알 수 **없는** 것은?

① 놀보는 흥보를 동물보다 하찮게 여긴다.
② 흥보의 아내는 가난을 팔자 탓이라고 생각한다.
③ 흥보는 놀보에게 구걸을 하러 갔다가 매만 맞았다.
④ 흥보가 박을 타기 전 도둑이 와서 박속을 긁어 갔다.
⑤ 박 안에서는 돈과 쌀이 들어 있는 궤 두 짝이 나왔다.

#3 ✦ 동서남북 문밖에 봉고파직이라는 암행어사의 명이 붙었다. 암행어사는 절차에 따라 옥의 형리를 불러 / "옥에 갇힌 죄인들을 다 올려라."

명령하니 죄인을 올리거늘 다 각각 죄를 물은 후에 죄 없는 자들을 풀어 주었다.

암행어사가 춘향을 가리키며

"저 계집은 누구인가?" / 하니 형리가 아뢰기를,

"기생 월매의 딸인데 관가에서 포악하게 군 죄로 옥중에 있사옵니다."

"무슨 죄인고?"

"✦ 본관 사또를 모시라고 불렀더니 절개를 지킨다면서 사또 명을 거역하고 사
<small>신념이나 결심을 굽히거나 바꾸지 않고 지키는 충실한 태도.</small>
또 앞에서 악을 쓴 춘향이로소이다."

어사또 분부하되,

"너 같은 년이 수절한다고 나라의 관리를 욕보였으니 살기를 바랄 것이냐. 죽어
<small>여자가 한 사람만을 사랑하여 정절을 지킨다고.</small>
마땅하나 기회를 한 번 더 주마. 내 수청도 거역할 테냐?"
<small>아녀자나 기생이 높은 벼슬아치에게 몸을 바쳐 시중을 들던 일.</small>

이 어사는 춘향의 마음을 떠보려고 짐짓 한번 다그쳐 보는 것인데, 춘향은 어이가 없고 기가 콱 막힌다.

"내려오는 사또마다 하나같이 명관이로구나! 어사또 들으시오. 층층이 높은 절
<small>정치를 잘하여 이름이 난 관리.</small>
벽 높은 바위가 바람이 분들 무너지며, 푸른 솔 푸른 대가 눈이 온들 변하리까.
그런 분부 마옵시고 어서 빨리 죽여 주오."

하면서 무슨 생각이 났는지 황급히 이리저리 두리번거리며 향단이를 찾는다.

"향단아, 서방님 혹시 어디 계신가 살펴보아라. 어젯밤 오셨을 때 간곡히 당부하
였는데 어디를 가셨는지, 나 죽는 줄도 모르시는가? 어서 찾아보아라."

어사또 다시 분부하되, / "얼굴을 들어 나를 보아라."

춘향이 천천히 고개를 들어 위를 보니, 거지로 왔던 낭군이 어사또가 되어 뚜렷
<small>옛날에 젊은 여자가 자기 남편이나 연인을 부르던 말.</small>
이 앉아 있었다. 순간, 춘향은 깜짝 놀라 눈을 질끈 감았다가 떴다.

✦ "나를 알아보겠느냐? 네가 찾는 서방이 바로 여기 있느니라."

어사또는 즉시 춘향의 몸을 묶은 오라를 풀어 주고 동헌 위로 모시라고 명을 내
<small>도둑이나 죄인을 묶을 때에 쓰던, 붉고 굵은 줄.</small>
렸다. 춘향은 긴장이 풀려 웃음 반, 울음 반으로

"얼씨구나 좋을씨고 어사 낭군 좋을씨고. 남원읍에 가을 들어 낙엽처럼 질 줄 알
았더니 객사에 봄이 들어 봄바람에 핀 오얏꽃이 날 살리네. 꿈이냐 생시냐? 꿈
에서 깰까 염려로다."

한참 이리 즐길 때에 춘향의 어미가 들어와서 한없이 즐거워하니 그 마음을 어
찌 다 말하랴. 마침내 춘향의 높은 절개가 빛을 보게 되었으니 어찌 아니 좋을쏜가.

★ 별별 포인트 ★

< 이 작품의 주제 >

갈등 양상과 해결

- 춘향이가 변 사또의 수청 요구를 거부하고 절개를 지킴.
- 암행어사가 된 이몽룡이 탐관오리인 변 사또를 벌함.
- 신분의 차이를 극복하고 기생의 딸인 춘향이와 양반인 이몽룡이 사랑을 이룸.

⇓

이 작품의 주제

- 신분을 초월한 남녀 간의 사랑
- 탐관오리의 횡포에 대한 비판
- 평등한 사회에 대한 바람

#3 **핵심 태그**

낭군 이몽룡이 #_____가 되어 앉아 있는 것을 보고 긴장이 풀리는 춘향

작품 줄거리 요약하기

01 이 글에 대한 설명으로 맞으면 ○표, 틀리면 ✕표를 하시오.

인물	어사또는 탐관오리이다.	
사건	이몽룡이 암행어사가 되어 돌아온다.	
배경	전라남도 남원을 배경으로 이야기가 전개된다.	
소재	'마패'는 본관 사또가 지닌다.	

앞부분 줄거리

　　남원 부사의 아들 이몽룡은 단옷날 광한루에서 그네를 타는 기생의 딸 춘향이를 보고 첫눈에 반한다. 이몽룡은 춘향이의 집을 찾아 가 부부의 연을 맺고, 행복한 시간을 보낸다. 그러나 이몽룡의 아버지가 승진하자 이몽룡은 춘향이에게 후일을 약속하고 한양으로 떠난다.

- -

　　남원에 새로 부임한 탐관오리 변학도는 춘향이에게 자신의 수청을 들라고 하고, 이를 거절한 춘향이를 옥에 가둔다. 이몽룡은 장원 급제하여 암행어사가 되어 남원으로 내려오고, 춘향이가 옥중에 있다는 이야기를 듣고 거지 차림으로 변 사또의 생일잔치에 찾아간다.

제시 장면 줄거리

　　이몽룡은 변 사또의 생일잔치에서 본관 사또(변 사또)를 비판하는 **1** ▢ 를 짓는다. 이 시를 본 운봉은 이몽룡이 **2** ▢▢▢▢ 임을 눈치채고 관아를 단속한다. 역졸들이 암행어사 출두를 외치자 본관 사또와 관리들은 혼비백산하고, 이몽룡은 본관 사또를 파직한다. 이몽룡은 옥에 갇혔던 춘향이를 풀어 주고, 춘향이는 이몽룡과 재회하게 된 것을 기뻐한다.

뒷부분 줄거리

　　한양으로 돌아간 이몽룡은 높은 벼슬을 받고, 춘향이는 절개를 인정받아 정렬부인이라는 칭호를 받는다. 이몽룡과 춘향이가 낳은 자식들도 대대손손 벼슬에 오른다.

별별 포인트

02 **#1**의 '어사또'가 지은 시에 대한 설명으로 가장 적절한 것은?

① 어사또의 정체를 밝히고 있다.
② 춘향이의 앞날을 암시하고 있다.
③ 현실 상황을 해학적으로 그리고 있다.
④ 탐관오리에 대한 비판을 드러내고 있다.
⑤ 본관 사또에 대한 칭찬을 나타내고 있다.

별별 포인트

03 보기 에서 설명한 소재로 적절한 것은?

보기
- 비유적인 표현을 사용하여 긍정적인 결말을 암시함.
- 백성과 춘향이가 탐관오리의 횡포에서 벗어날 것임을 암시함.

① 갈비　　　　　② 마패
③ 옥쟁반　　　　④ 다과상
⑤ 개다리소반

04 '운봉'에 대한 설명으로 가장 적절한 것은?

① 인내심이 많다.
② 눈치가 빠르다.
③ 주위가 산만하다.
④ 우직하고 어리석다.
⑤ 학식이 이몽룡보다 뛰어나다.

05 '암행어사 출두'의 역할로 가장 적절한 것은?

① 팽팽했던 긴장이 누그러진다.
② 상황의 극적 반전이 일어난다.
③ 이몽룡과 춘향이의 이별을 암시한다.
④ 탐관오리의 횡포가 심해질 것을 암시한다.
⑤ 사건 흐름의 주도권이 춘향이에게로 넘어간다.

06 다음과 같이 **#2**에 나타난 관리들의 모습에 대한 반응으로 가장 적절한 것은?

> 모든 수령 도망가는데 그 꼴이 볼 만하다. 도장 넣는 궤 잃고 과자 들고, 병부 잃고 송편 들고, 탕건 잃고 용수 쓰고, 칼집 쥐고 오줌 누기, 부서지니 거문고요, 깨지자니 북, 장구라. 본관 사또가 겁에 질려 똥을 싸고, 멍석 구멍에 생쥐 눈 뜨듯 하면서 관아 깊숙이 들어가며 급히 내뱉는 말이,
> "어, 추워라! 문 들어온다, 바람 닫아라. 물 마른다, 목 들여라."

① 허세를 부리며 빠져나가고 있군.
② 갑자기 닥친 불행에 침울해하고 있군.
③ 체면도 버리고 우스꽝스럽게 허둥대고 있군.
④ 잘못을 인정하고 벌을 받으려 기다리고 있군.
⑤ 끝까지 침착함을 잃지 않으며 도망가고 있군.

07 **#3**의 '춘향'의 말에서 밑줄 친 말이 가리키는 인물을 각각 쓰시오.

> "남원읍에 가을 들어 ㉠낙엽처럼 질 줄 알았더니 객사에 봄이 들어 봄바람에 핀 ㉡오얏꽃이 날 살리네."

• ㉠ 낙엽: _____

• ㉡ 오얏꽃: _____

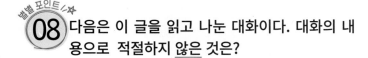 08 다음은 이 글을 읽고 나눈 대화이다. 대화의 내용으로 적절하지 <u>않은</u> 것은?

> 현지: ①변 사또에게 굴하지 않는 춘향이의 태도를 통해 지고지순한 사랑을 보여 주네.
> 민성: 기생의 딸인 춘향이와 양반인 이몽룡의 사랑은 신분이 엄격했던 당시 사회에서 이루어질 수 없었어.
> 현지: 그럼, ②당시 백성들이 신분의 제한 없이 사랑할 수 있는 평등한 사회를 원했다고 생각할 수 있겠네.
> 준서: 맞아. ③그리고 백성들을 보살피기는커녕 화려한 잔치를 연 변 사또를 보니 당시 백성들이 탐관오리에게 시달렸음을 알 수 있어.
> 민성: ④관리들이 벌을 받고 죄 없는 자들이 풀려나는 것에서 당시 백성들의 바람을 엿볼 수 있구나.
> 준서: 수청을 들라고 하는 ⑤어사또를 당당하게 꾸짖는 춘향이의 모습에서 남성과 동등해지려던 당시 여자들의 마음도 짐작할 수 있어.

춘향전

61

8문제 중에
_____ 문제 맞혔어!

05
가시리 작자 미상

표현 반복을 통한 정서의 강조
반복을 통해 운율을 만들 뿐 아니라 이별을
받아들일 수 없는 화자의 안타까움과 간절함을 드러냄.

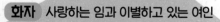

화자 사랑하는 임과 이별하고 있는 여인
자신을 놔두고 떠나는 임을 원망하는 마음과 임이
금방 돌아오기를 바라는 마음을 직접 표현함.

가이드북 17쪽

읽기 포인트» 사랑하는 사람을 떠나보내는 이별의 정한(情恨)을 노래한 고려 가요이다. 화자가 처한 이별의 상황을 떠올리며 읽어 보자.

가시리 가시리잇고 ✡나는
'가시리잇고'의 준말
버리고 가시리잇고 나는
✡위 증즐가 대평성대(大平盛代)

날러는 어찌 살라 하고
버리고 가시리잇고 나는
위 증즐가 대평성대(大平盛代)

잡사와 두어리마나는
붙잡아, 떠나지 못하게 말리고.
선하면 아니 올세라
위 증즐가 대평성대(大平盛代)

설온 님 보내옵나니 나는
서러운, 원통하고 슬픈.
가시는 듯 돌아오소서 나는
위 증즐가 대평성대(大平盛代)

핵심 태그

1 # ______ 에 대한 안타까움과 떠나는 임에 대한 원망

2 # ______ 을 붙잡는 것을 체념하고 임이 돌아오기를 바람

✶ 별별 포인트 ✶

< 화자의 정서 및 태도 변화 >

1연	임이 떠나는 사실을 거듭 확인하고 안타까워함.
2연	자신을 버리고 떠나는 임을 원망함.
3연	떠나는 임을 붙잡으면 돌아오지 않을까 봐 붙잡지 못하고 체념함.
4연	가시자마자 돌아오라고 다시 만나기를 소망함.

⇒ 화자는 떠나는 임을 붙잡지 못하는 소극적인 태도를 보이다가 곧 다시 돌아오라는 소망을 직접 드러냄으로써 임에 대한 마음을 솔직하게 표현함.

✶ 별별 포인트 ✶

< 반복을 통한 정서의 강조 >

'가시리 가시리잇고'
'버리고 가시리 잇고'

- 임과의 이별을 믿을 수 없는 화자의 심리를 강조함.
- 임을 잡고 싶은 간절함을 드러냄.
- 반복을 통해 운율을 형성함.

'나는', '위 증즐가 대평성대'

- 여음과 후렴구임.
- 특별한 의미를 지니지 않지만 반복을 통해 운율을 형성하고 형태적 안정감을 줌.

가시리 ⓐ가시리잇고 나는
버리고 가시리잇고 ⓑ나는
위 증즐가 대평성대(大平盛代)

ⓒ날러는 어찌 살라 하고
버리고 가시리잇고 나는
위 증즐가 대평성대(大平盛代)

ⓓ잡사와 두어리마나는
선하면 아니 올세라
위 증즐가 대평성대(大平盛代)

설온 님 보내옵나니 나는
ⓔ가시는 듯 돌아오소서 나는
위 증즐가 대평성대(大平盛代)

[현대어 풀이]
가시렵니까? 가시렵니까?
버리고 가시렵니까?

나는 어찌 살아가라고
버리고 가시렵니까?

붙잡아 두고 싶지만
서운하면 오지 않을까 두려워

서러운 임을 보내 드리니
가시자마자 곧 돌아오소서.

오엑스 확인 문제

01 이 시가에 대한 설명으로 맞으면 ○표, 틀리면 ✕표를 하시오.

화자	화자는 오래전에 떠난 임이 돌아오기를 기다리고 있다.	
시어	'가시리'는 '가시리잇고'의 준말로 같은 의미를 나타낸다.	
표현	같은 말을 반복하여 임과의 이별로 인한 안타까움을 나타내고 있다.	

02 이 시가에서 현재 화자가 처한 상황으로 가장 적절한 것은?

① 화자와 임이 함께 떠나는 상황
② 임이 화자를 두고 떠나는 상황
③ 화자가 임을 버리고 떠나는 상황
④ 이미 떠난 임을 화자가 그리워하는 상황
⑤ 떠나려 하는 화자를 임이 놓아 주지 않는 상황

별별 포인트! ✿
03 이 시가에 나타난 화자의 정서 변화로 가장 적절한 것은?

① 원망 → 기원 → 의지 → 소망
② 좌절 → 슬픔 → 희망 → 아쉬움
③ 그리움 → 희망 → 좌절 → 기원
④ 안타까움 → 원망 → 체념 → 소망
⑤ 서러움 → 좌절 → 원망 → 안타까움

별별 포인트!☆
04 다음 시구에 대한 설명으로 적절하지 <u>않은</u> 것은?

> 가시리 가시리잇고
> 버리고 가시리잇고

① 임을 잡고 싶은 간절함을 드러내고 있다.
② 글자 수를 맞추어 음악적 효과를 주고 있다.
③ 특별한 의미 없이 흥을 돋우기 위한 역할을 하고 있다.
④ 동일한 시구를 반복하여 화자의 정서를 강조하고 있다.
⑤ 임과의 이별을 믿을 수 없는 화자의 심리를 드러내고 있다.

05 화자가 떠나는 임을 붙잡지 못하는 이유로 가장 적절한 것은?

① 임이 화를 낼까 봐
② 임이 원하지 않아서
③ 임의 앞길을 막고 싶지 않아서
④ 임을 서운하게 하면 돌아오지 않을까 봐
⑤ 임 없이 혼자 살 수 있다는 것을 보여 주려고

06 ⓐ~ⓔ의 의미로 적절하지 <u>않은</u> 것은?

① ⓐ: 가시렵니까
② ⓑ: 나를
③ ⓒ: 나더러는
④ ⓓ: 붙잡고
⑤ ⓔ: 가시자마자 바로

07 보기 의 설명에 해당하는 시구를 4연에서 찾아 쓰시오.

> 보기
> 이 시구는 '임'을 주체로 해석할 경우, 화자와 임이 모두 원하지 않으나 어쩔 수 없는 결과로 현재의 상황을 맞이하게 된 것으로 해석된다. 반대로 '화자'를 주체로 해석할 경우에는 임의 결정으로 인해 현재의 상황이 된 것으로 해석된다.

_____

08 보기 를 참고하여 이 작품을 감상한 내용으로 적절하지 <u>않은</u> 것은?

> 보기
> 「가시리」는 원래 백성들 사이에서 널리 불리던 노래였다. 그런데 이 노래가 인기를 얻어 왕실에까지 전해졌고, 「귀호곡」이라는 제목을 새로 얻어 궁중 음악으로 개편되었다. 그 과정에서 내용과 상관없이 덧붙여진 후렴구도 있고, 작품의 주제가 다르게 해석되기도 하였다.

① 처음에는 남녀 간 이별의 슬픔을 노래한 유행가요였겠군.
② '위 증즐가'는 궁중 음악으로 개편되면서 덧붙여진 후렴구이겠군.
③ '대평성대'는 떠나간 임이 행복하기를 바라는 화자의 바람이 반영된 것이겠군.
④ 궁중 음악으로 개편되었다는 것을 고려하면 '임'은 임금으로 해석할 수 있겠군.
⑤ 궁중 음악으로 개편된 뒤에는 임금의 총애를 얻기 위한 신하의 노래라고 할 수 있겠군.

8문제 중에
_____ 문제 맞혔어!

어휘로 마무리

기억해 보자!

01 사씨남정기   02 운영전   03 흥보가
04 춘향전   05 가시리

01 다음 문장의 밑줄 친 부분과 바꾸어 쓸 수 있는 어휘로 적절한 것은?

> 한림이 부인을 <u>구완하여</u> 사 씨가 겨우 눈을 뜨니 한림이 부인을 위로하였다.

① 보완하여   ② 보조하여   ③ 구분하여
④ 간호하여   ⑤ 추천하여

한줌 Hint
'구완하여'는 정신을 잃었던 사 씨를 일어나게 만든 행위이다.

02 다음 문장의 '손발'과 유사한 의미를 지닌 어휘가 아닌 것은?

> 그 뒤 냉진은 동청의 <u>손발</u>이 되어 악한 짓을 서슴없이 하였다.

① 범인의 <u>손발</u>을 밧줄로 꽁꽁 묶어 놓았다.
② 그들이야말로 나의 충성스러운 <u>손발</u>이다.
③ 그가 <u>손발</u>처럼 부리던 사람이 멀리 떠나 버렸다.
④ 그 비서는 사장님의 곁에서 <u>손발</u> 노릇을 해 왔다.
⑤ 어머니께서 저의 <u>손발</u>이 되어 주신 덕분에 오늘의 성과를 이룰 수 있었다.

한줌 Hint
제시된 문장에서 '손발'이 어떤 의미로 쓰였는지 생각해 본다.

03 다음 빈칸에 들어갈 어휘로 적절한 것은?

> "네 이놈 흥보 놈아, 잘살기 내 복이요 못살기도 니 팔자. 굶고 먹고 난 모른다. 볏섬 주자 한들 마당에 뒤주 안에   들었으니 너 주자고 뒤주를 헐겠느냐."

① 주렁주렁   ② 북적북적
③ 다물다물   ④ 뒤죽박죽
⑤ 뭉게뭉게

한줌 Hint
무언가가 가득 쌓여 있는 모양을 나타내는 어휘를 찾는다.

04 다음 문장을 읽고, 맞춤법에 맞는 어휘를 고르시오.

한줄 Hint

(1) '왠지'라는 표현만 맞는 말이다.
(2) [죄:다/줴:다]라고 읽는다.

(1) 여보소, 마누라. 여보, 이 사람아. 자네 이게 ⎰ 웬일 / 왠일 ⎱인가?

(2) 한림은 요사스러운 교 씨가 저지른 전후 악행을 설매에게 들은 대로 ⎰ 죄다 / 좨다 ⎱ 말했다.

05 다음 문장의 밑줄 친 어휘 중 성격이 나머지와 다른 것은?

한줄 Hint

밑줄 친 어휘의 앞에 수를 나타낸 값이 나오지 않는 문장이 있다.

① 쌀 서른한 섬만 밥을 지어라.
② 밥 더미가 남산 더미만 한 것이었다.
③ 콩나물과 깍두기, 막걸리 한 사발이 전부였다.
④ 누런 닭, 흰 닭 수백 마리가 턱턱 하고 꼭꾜 운다.
⑤ 비록 말 열 필이 있다 하더라도 능히 다 운반할 수 없나이다.

06 다음에 제시된 어휘의 뜻풀이를 참고하여, 각 문장의 빈칸에 들어갈 알맞은 어휘를 쓰시오.

한줄 Hint

제시된 문장에서 빈칸의 앞뒤 내용을 살펴보고 문맥에 맞는 어휘를 고른다.

- **계교**: 요리조리 헤아려 보고 생각해 낸 꾀.
- **염치**: 체면을 차릴 줄 알며 부끄러움을 아는 마음.
- **후환**: 어떤 일로 말미암아 뒷날 생기는 걱정과 근심.
- **절개**: 신념, 신의 따위를 굽히지 않고 굳게 지키는 꿋꿋한 태도.

(1) 오늘 밤에 도망가지 않으면 [   ]이/가 있을까 두렵소.

(2) 술과 안주를 포식하고 그냥 가기가 [   ]이/가 아니니 시 한 수 하겠소.

(3) 특의 사람됨이 본래부터 꾀가 많아서 이런 [   ]을/를 일러 주니 어떠하오?

(4) [   ]을/를 지킨다면서 사또 명을 거역하고 사또 앞에서 악을 쓴 춘향이로소이다.

漢字 한자 성어

07 다음은 암행어사 출두를 외치는 소리를 듣고 놀라 도망가는 사람들의 모습을 나타낸 것이다. 다음 상황을 설명하는 한자 성어로 적절한 것은?

좌수, 별감은 넋을 잃고, 이방, 호장은 혼을 잃고,
나졸들은 분주하네.
모든 수령들이 도망가는데 그 꼴이 볼 만하다.

ㄱ 가렴주구
(苛斂誅求)

세금을 가혹하게 거두어들이고, 무리하게 재물을 빼앗음을 이르는 말.

ㄴ 혼비백산
(魂飛魄散)

혼백이 어지러이 흩어진다는 뜻으로, 몹시 놀라 넋을 잃음을 이르는 말.

ㄷ 동병상련
(同病相憐)

어려운 처지에 있는 사람끼리 서로 가엾게 여김을 이르는 말.

💬 속담

08 다음 상황에 어울리는 속담으로 적절한 것은?

운영과 운영의 재산은 모두 내 차지가 될 것이야.

진사님, 운영의 재산은 제가 궁 밖으로 잘 옮겨 두겠습니다. 운영과 도망치십시오.

특은 지금까지 나에게 충성을 다하였지. 악한 일을 할 리 없지.

특

김 진사

ㄱ 소 잃고 외양간 고치는 격이군.
ㄴ 믿는 도끼에 발등 찍히는 격이군.
ㄷ 못된 송아지 엉덩이에 뿔 난 격이군.

별별

배경

01

박씨전

작자 미상

인물 이득춘
이시백의 아버지. 뛰어난 재상으로 박 처사와 박 씨의 인물됨을 알아봄.

사돈 사이

인물 박 처사
박 씨의 아버지. 금강산의 신선으로, 박 씨의 허물을 벗겨 추녀에서 미녀가 되게 함.

짜잔!

헉! 이렇게 예쁠 수가.

인물 계화
박 씨의 시녀. 피화당에서 박 씨와 함께 지냄. 박 씨를 대신하여 용울대의 머리를 베고, 용골대와 그의 군사를 혼내 줌.

인물 이시백
우의정. 박 씨의 남편으로 못생긴 박 씨를 멀리하다 박 씨가 미인이 되자 사죄하고 잘 지냄.

인물 박 씨
비범한 능력을 가진 인물로 집안을 부유하게 하고 남편을 장원 급제시킴. 전쟁이 나자 조선을 침략한 청나라의 군대를 도술로 물리침.

배경 조선 인조 때, 병자호란 전후
실제 병자호란은 조선이 청에 크게 지고 항복한 전쟁이었으나, 이 소설에서는 박 씨가 청나라의 장수를 무찌르는 것으로 바뀜.

인물 기홍대, 용골대
사건 '박 씨'가 도술로 오랑캐를 물리침.
박 씨는 자신과 임경업을 죽이러 온 자객 기홍대의 정체를 알아채고 도술로 기홍대를 제압함. 또한 동생의 복수를 하러 온 오랑캐 장수 용골대와 그의 군대를 도술로 혼내고 왕비를 구함.

#1 용골대가 얼떨떨하여 급하게 쟁을 쳐서 군사를 거두니 그제야 하늘이 맑아
졌다. 용골대는 그 모습을 보고 더욱 더 분기를 이기지 못하여 다시 칼을 들고 함
부로 마구 치며 피화당으로 들어가려고 하였다. 그러자 밝고 환하던 날이 순식간
에 구름과 안개가 껴서 아주 가까운 거리도 분별하지 못할 정도가 되었다.

놋쇠로 만들어 채로 쳐서 소리를 내는 악기.
화나고 원통한 생각이나 기운.

용골대가 동생의 머리만 쳐다보며 탄식할 때 나무 사이로 한 여자가 나타났다.
한탄하여 한숨을 쉼. 또는 그 한숨.
☆ "이 어리석은 용골대야! 네 동생 용울대가 내 칼에 죽었거늘 너까지 내 칼에
죽고 싶어 이렇게 온 것이냐?"

용골대가 이 말을 듣고 몹시 성을 내며 크게 꾸짖었다.

"대체 어떤 여자이기에 대장부한테 그런 요망스러운 말을 하느냐! 내 동생이 불
말과 행동이 방정맞고 경솔한 데가 있는.
행하게도 네 손에 죽었지만 내가 이미 조선 임금의 항복을 받아 이제는 너희도
우리나라의 백성이나 마찬가지인데, 어찌 우리를 해치려 하느냐? 나라가 무엇
인지도 모르는 여자인지라 살려 두어도 쓸데가 없을 것 같으니 어서 나와 내 칼
을 받아라."

계화가 용골대의 말은 들은 척도 않고 크게 꾸짖으며 말했다.

☆ "나는 충렬 부인의 시녀 계화이다. 네 동생이 내 칼에 죽었고, 너 또한 목숨이
내 손에 달렸으니 어찌 가소롭지 않으리."
같잖아서 우스운 데가 있는.
용골대는 더욱 화가 나서 군사들에게 호령하였다. / "일시에 활을 당겨 쏘아라."
부하를 지휘하여 명령하였다.
☆ 화살이 무수하게 쏟아졌지만 계화가 몸을 날려 피하자 화살은 예닐곱 걸음
떨어진 곳에 가서 뚝 떨어졌다. 용골대는 더욱 화를 참지 못하고 군사들에게 계속
해서 화살을 쏘라고 명령하였다. 명령을 들은 군사들이 앞다투어 계화에게 화살
을 쏘았으나 모두 빗나갈 뿐이었다.

★ 별별 포인트 ★

< '계화'의 역할 >

• 박 씨의 시녀로 양반댁
부녀자인 박 씨가 직
접 싸움에 나서지 않
게 함.

• 용골대를 쉽게 이기는 모습에서 당
시 억눌려 살았던 조선 시대 여자들
에게 대리 만족을 줌.

#1 핵심 태그

_____에게 복수하려고
화살을 쏘지만 하나도 맞히지
못하는 용골대

#2 화살만 계속 헛되이 쓰자 용골대는 어찌할 줄 모르고, 그 신기함에 탄복할
매우 감탄하여 마음으로 따름.
뿐이었다. 급기야 분한 마음을 참지 못하고 김자점을 불러 말했다.

"너희도 이제 우리나라의 백성이다. 서둘러 성안의 군사를 시켜 박 씨와 계화를
잡아들여라. 그렇게 하지 않으면 너희들을 군법에 따라 처리하리라."
군대 내부에 적용하는 법.
호령 소리가 떨어지자 김자점이 잔뜩 겁먹은 목소리로 대답하였다.

"어찌 장군의 명령을 어기겠습니까?"

김자점이 급히 군사를 모아 피화당을 둘러싸고 공격하였다. ✿ 그런데 갑자기 피화당 주변이 변하여 깊이가 매우 깊은 늪이 되었다. 그러자 용골대가 꾀를 내어

<small>땅바닥이 움텅 빠지고 늘 물이 괴어 있는 곳.</small>

군사들에게 피화당 주변에 화약 가루를 뿌리게 하고는 크게 소리쳤다.

"너희가 아무리 변신에 뛰어나다 할지라도 목숨은 하나거늘, 목숨이 아깝거든 어서 나와 항복하라." / 하고 꾸짖었으나 한 사람도 답하는 사람이 없었다.

용골대가 군사들에게 명령하여 한꺼번에 불을 지르니 화약이 터지는 소리가 산이 무너지는 듯하였다. 불이 사방으로 번져 불빛이 하늘을 가득 메웠다.

이때, 박 씨가 계화에게 부적을 던지게 하였다. 그리고 왼손에 들고 있던 빨간색

<small>잡귀나 재앙을 물리치기 위해 글씨를 쓰거나 그림을 그려 몸에 지니거나 집에 붙이는 종이.</small>

부채와 오른손에 들고 있던 흰색 부채에 오색실을 매어 불 속으로 던졌다. ✿ 그러자 갑자기 피화당에서 큰 바람이 일어나며 오히려 오랑캐의 진 안으로 불길이 치

<small>군사들이 있는 곳.</small>

솟아 오랑캐 군사들이 불 속에 갇혀 버렸다. 어디로 도망가야 할지 몰라 우왕좌왕

<small>이리저리 왔다 갔다 하며 방향을 잡지 못하며.</small>

하며 불에 타 죽은 오랑캐 군사가 수도 없이 많았다. 용골대가 크게 놀라 급히 물러나며 하늘을 우러러 탄식하였다.

"군사를 일으켜 조선에 온 뒤에 한 명의 사상자도 없었고, 대포 한 방에 조선을

<small>죽은 사람과 다친 사람.</small>

항복시키기까지 했다. 그런데 불쌍하게도 동생이 신이한 여자를 만나 죽었으니

<small>신기하고 이상한.</small>

무슨 면목으로 임금과 왕비를 뵐 수 있으리오."

<small>남을 대할 만한 체면.</small>

용골대가 통곡을 하자 주위의 장수들이 위로하였다.

"아무래도 저 여자에게 복수하기는 어려울 것 같으니 퇴군하는 것이 어떠시겠

<small>싸움터에서 군대를 물러나게 하는.</small>

습니까?" / 용골대는 어쩔 수 없이 퇴군을 결정하였다. 오랑캐 군사들이 퇴군하는 길에 왕비와 세자, 대군, 성안의 값진 물건을 모두 거두어 서울을 떠나니 백성들의 울음소리가 하늘을 찔렀다.

#3 이 광경을 본 박 씨가 계화를 시켜 용골대를 향해 크게 외치게 하였다.

"무지한 오랑캐 놈들아! 너희 왕은 우리를 몰라보고 너희같이 젖비린내 나는 어

<small>여진족(청나라)을 업신여기고 하찮게 여겨 깔보는 말.</small>

린애를 보내어 조선을 침략하게 했다. 나라의 운세가 좋지 못하여 패배를 당했지

<small>정당한 이유 없이 남의 나라에 쳐들어가게.</small>

만 무슨 까닭으로 우리나라 사람을 거두어 가려고 하느냐? 만일 왕비를 모시고 가려 한다면 너희를 모조리 죽일 것이니 목숨이 아깝거든 다시 생각해 보아라."

용골대가 이 말을 듣고 비웃으며 말했다.

"너희 말이 참으로 우습도다. 우리는 이미 조선 임금의 항서까지 받았다. 왕비를

<small>항복을 인정하는 문서.</small>

데려가고 안 데려가고는 우리 뜻이니 너희들이 이렇다 저렇다 말하지 마라."

박 씨가 계화를 시켜 다시 소리쳤다. / "너희가 마음을 바꾸지 않으니 참으로 불쌍하도다. 어디 내 재주를 구경해 보아라."

계화가 무슨 주문을 외자 하늘에서 두 줄의 무지개가 생기더니 우박이 떨어졌
다. 그러더니 폭우가 천지를 뒤덮을 듯 쏟아지고 눈보라가 휘날리며 얼음이 얼었
다. 오랑캐 군사들은 말발굽이 얼음에 붙어 떨어지지 않아 한 발짝도 움직일 수 없
게 되었다. 용골대가 그제야 잘못을 깨닫고 말하였다.

"처음에 우리 왕비께서 조선에 신이한 사람이 있을 것이니 부디 우의정 이시백
의 집 뒤뜰은 들어가지 말라며 당부를 하셨다. 그런데 우리가 분한 것만 생각하
느라 왕비의 당부를 잊은 채 이곳에 와서 십만 대병을 다 죽이고 용울대도 죄 없
이 죽게 하였으니 무슨 면목으로 왕비를 뵈리오. 그러니 지금이라도 부인에게
비는 것이 옳을 듯하다."

용골대가 갑옷과 투구를 벗어 말안장에 걸고, 피화당 앞에 나아가 땅바닥에 무
릎을 꿇고 용서를 빌었다.

#4 "소장이 천하를 돌아다니다 조선까지 와서 지금까지 단 한 번도 무릎을 꿇어
본 적이 없었나이다. 그러나 지금 부인 앞에 무릎을 꿇어 비나이다. 부인의 명
대로 왕비는 모셔 가지 않을 것이니, 부디 길을 열어 돌아가게 해 주십시오."

용골대가 애걸하자 그제야 박 씨가 주렴을 걷고 나와 크게 꾸짖었다.

"원래는 너희를 씨도 남기지 않고 모두 없애 버리려 하였다. 그러나 내가 사람
을 죽이는 것을 좋아하지 않기에 용서하노라. 너희 말대로 왕비는 모셔 가지 말
것이며, 너희가 어쩔 수 없이 세자와 대군을 모셔 가야 한다면 그것까지는 하늘
의 뜻이니 거역하지 못하겠구나. 부디 조심해서 모셔 가라. 나는 방에 앉아서도
모든 것을 다 알 수가 있다. 만일 내가 말한 대로 하지 않으면 너희를 다 죽이고
나도 너희 국왕을 사로잡아 분을 씻고 죄 없는 너희 백성까지 한 사람도 남김없
이 모조리 죽일 것이다. 내 말을 잊지 말고 따르라."

용골대가 다시 애걸하며 말하였다.

"소장 아우의 머리를 내어 주시면 바로 고국으로 돌아가겠나이다."

부인이 크게 웃으며 말하였다.

"옛날의 한 사람이 원수를 갚은 것처럼 나도 용울대의 머리에 옻칠을 하여 술잔
을 만들어 남한산성에서 패한 분을 만분의 일이라도 풀어야겠다. 네가 아무리
애걸해도 그것만은 들어줄 수 없다."

용골대가 이 말을 듣고 분한 마음이 하늘을 찌르나 어찌할 방법이 없어 용울대
의 머리만 보고 통곡할 따름이었다.

#3 핵심 태그 계화의 도술에 움직일 수 없게 되자 박 씨에게 무릎을 꿇고 용서를 비는 #

★ 별별 포인트 ★
< '박씨전'에 반영된 역사적 사건 >

'병자호란'의 실제 내용 1636년 조선을 침략한 청나라에 조선이 크게 패배함.
↓
'박씨전'에서 바뀐 내용 여자인 박 씨가 청나라 장수를 도술로 혼내 줌.

→ 청나라에 패배한 절망감을 일부라도 극복하고, 전쟁에 대비하지 못한 무능한 남성 지배층을 비판함.

#4 핵심 태그 용골대가 아우의 # 를 달라고 애걸하지만 이를 거절하는 박 씨

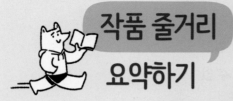

작품 줄거리 요약하기

앞부분 줄거리

조선 인조 때의 재상인 이득춘은 박 처사의 딸인 박 씨를 며느리로 맞지만, 엄청 못생긴 박 씨를 모두 무시한다. 박 씨는 시아버지에게 부탁하여 뒤뜰에 피화당을 짓고 시녀 계화와 둘이 지낸다.

박 씨의 비범한 능력으로 집안은 부유해지고, 남편은 장원 급제를 한다. 사 년 후, 박 처사가 찾아와 박 씨의 허물을 벗기자 박 씨는 절세미인이 된다. 이시백은 박 씨에게 사죄하고 둘은 사이좋게 지낸다.

박 씨는 오랑캐 왕이 보낸 자객 기홍대를 물리친다. 이후 오랑캐 왕이 조선을 침략하고, 한양을 빼앗긴 임금은 남한산성으로 피신한다. 그 사이 오랑캐 장수 용골대의 아우 용울대가 피화당을 습격했다가 계화에게 목이 베여 죽는다.

제시 장면 줄거리

용골대가 동생의 복수를 하려고 찾아와 계화에게 **1** ☐☐ 을 쏘지만 하나도 맞지 않는다. 이에 화가 나 **2** ☐☐☐ 에 불을 지르지만 불길이 오히려 오랑캐 군대로 향한다. 결국 퇴군하는 오랑캐에게 박 씨는 왕비를 두고 가라며 도술을 부린다. 용골대는 박 씨에게 사죄하며 동생의 머리를 달라고 애걸하지만 박 씨는 이를 거절한다.

뒷부분 줄거리

자기 나라로 돌아가던 용골대는 임경업 장군의 군대를 만나 혼쭐이 난다. 박 씨는 이후 이시백과 행복한 여생을 보낸다.

오엑스 확인 문제

01 이 글에 대한 설명으로 맞으면 ○표, 틀리면 ✕표를 하시오.

인물 용울대는 오랑캐 장수 용골대의 동생이다. ☐

사건 용골대는 조선 임금의 항복을 들어 박 씨에게 자신의 명령을 따르라고 한다. ☐

배경 오랑캐가 조선을 침략한 때를 배경으로 한다. ☐

소재 박 씨와 계화는 부적과 부채를 이용해 도술을 부린다. ☐

별별 포인트 ☆

02 **보기**의 설명에 해당하는 인물을 이 글에서 찾아 쓰시오.

보기
• 박 씨를 대신하여 오랑캐 군대와 싸움.
• 뛰어난 재주로 남성 장군을 꼼짝 못하게 하는 모습에서 당대 여성들에게 대리 만족을 주었음.

03 '용골대'가 피화당에 간 이유로 적절한 것은?

① 조선 임금의 항복을 받기 위해서
② 왕비와 세자, 대군을 데려가기 위해서
③ 아우의 죽음에 대한 원수를 갚기 위해서
④ 군사들이 쉴 만한 곳을 마련해 주기 위해서
⑤ 조선 여성들의 신기한 재주를 살펴보기 위해서

04 이 글의 내용으로 적절하지 <u>않은</u> 것은?

① 용골대는 군사를 시켜 피화당에 불을 질렀다.
② 오랑캐 왕비는 박 씨의 존재를 이미 알고 있었다.
③ 김자점은 용골대의 명령으로 피화당을 공격하였다.
④ 박 씨는 용골대에게 용울대의 머리를 내어 주었다.
⑤ 오랑캐 장수들은 용골대에게 퇴군하자고 말하였다.

05 이 글에 나타난 인물 간의 갈등 관계로 적절한 것은?

① 박 씨 ↔ 계화   ② 용골대 ↔ 박 씨
③ 용골대 ↔ 용울대   ④ 용골대 ↔ 김자점
⑤ 오랑캐 왕비 ↔ 조선 왕비

별별 포인트! ☆
06 보기 의 밑줄 친 부분이 드러난 장면으로 보기 어려운 것은?

> 보기
> 우리나라의 고전 소설에서는 현실적으로 믿기 어려운 기이한 사건이나 현실 세계에서는 실현 불가능한 사건이 일어나는 경우가 많다. 이러한 내용을 <u>전기적 요소</u>라고 한다.

① 피화당 주변이 매우 깊은 늪으로 변하는 장면
② 용골대가 무릎을 꿇고 박 씨에게 용서를 비는 장면
③ 계화가 주문을 외우자 우박과 폭우가 쏟아지는 장면
④ 오랑캐 군사들이 쏜 무수한 화살을 계화가 하나도 맞지 않는 장면
⑤ 용골대가 피화당으로 들어가려고 하자 맑은 하늘에 갑자기 구름과 안개가 끼는 장면

[07~08] 다음 글을 읽고 물음에 답하시오.

1636년 '후금'은 나라 이름을 '청'으로 고치고 조선에 막대한 예물과 인질을 요구한다. 조선이 요구를 거절하자 청 태종은 직접 10만 대군을 이끌고 조선을 침략한다. 이것이 바로 '병자호란'이다. 청은 임경업 장군이 지키고 있는 백마산성을 피하여 한양을 점령하고, 인조는 급히 남한산성으로 피신했지만 결국 조선은 청에 항복하게 된다. 인조는 최명길을 보내 용골대와 항복 조건을 논의하게 한다. 그 결과 인조는 굴욕적인 항복을 하고, 소현세자와 봉림대군을 포함해 많은 인질들이 청으로 끌려간다.

07 이 소설에 반영된 역사적 사실로 적절하지 <u>않은</u> 것은?

① 청이 조선을 침략하였다.
② 조선의 임금이 청에 항복하였다.
③ 용골대는 실제 청나라의 장수였다.
④ 조선의 여성들이 나서서 청군을 물리쳤다.
⑤ 조선의 세자와 대군이 청에 인질로 끌려갔다.

별별 포인트! ☆
08 이 글의 창작 의도로 가장 적절한 것은?

① 전쟁의 끔찍함을 보여 주고자 했다.
② 조선의 방어 능력을 강조하고자 했다.
③ 인조가 뛰어난 임금임을 널리 알리고자 했다.
④ 청에 대해 긍정적인 인상을 심어 주고자 했다.
⑤ 병자호란의 패배에서 느낀 굴욕감을 보상받고자 했다.

8문제 중에
_____ 문제 맞혔어!

02
홍길동전
허균

배경 조선 세종 때

인물 홍길동

홍 판서와 첩 춘섬의 아들 홍길동은
재주가 뛰어남. 그러나 당시에 첩의
아들은 천대를 받고 벼슬길도 막힘.
이에 홍길동은 집을 떠나 자신의
운명을 개척함.

사건 '홍길동'이 도적의 우두머리가 됨.
홍길동은 '활빈당'이라는 도적의 우두머리가
되어, 탐관오리의 재산을 빼앗아 가난한
백성들에게 나누어 줌.

사건 '홍길동'이 병조 판서가 됨.
나라에서 홍길동을 잡으려고 홍 판서와
홍인형을 인질로 잡자, 홍길동은 병조
판서 벼슬을 주면 조선을 떠나겠다고 함.

사건 '홍길동'이 율도국의 왕이 됨.

소재 율도국

활빈당을 이끌고 조선을 떠난 홍길동은
남쪽 율도국의 왕이 됨.

읽기 포인트 » 홍길동이 어머니에게 집을 떠나겠다고 말하고 있다. 홍길동이 왜 집을 떠나려 하는지 생각해 보고, 작품에 반영된 사회상을 파악하며 읽어 보자.

#1 하루는 길동이 어머니의 방에 가서 울면서 아뢰었다.

"소자 어머니와 더불어 전생의 인연이 중하여 이번 세상에 모자가 되었으니 그
아들이 부모에게 자기를 낮추어 이르는 말.
은혜가 지극하옵니다. 그러나 ✲ 소자의 팔자가 사납고 복이 없어 천한 몸이 되

었으니 품은 한이 깊사옵니다. 대장부가 세상에 살면서 남의 천대를 받는 것이

불가한지라 소자는 자연히 설움을 억제하지 못하여 어머니의 슬하를 떠나려 하
무릎의 아래라는 뜻으로, 부모의 보호를 받는 테두리 안을 이름.
옵니다. 엎드려 바라건대 어머니께서는 소자를 염려하지 마시고 귀한 몸을 잘

돌보십시오."

길동의 어머니가 깜짝 놀라 말했다. / "재상 집안에 천한 출생이 너뿐이 아닌데,

어찌 마음을 좁게 먹어 어미의 간장을 태우느냐?"
마음을 비유하는 말.
"✲ 옛날 장충의 아들 길산은 천한 출생이지만 열세 살에 그 어미와 이별하고 운
장길산. 조선 숙종 때 전국적으로 활동하던 도둑의 우두머리.
봉산에 들어가 도를 닦아 아름다운 이름을 후세에 전하였습니다. 소자도 그를

본받아 세상을 벗어나려 하오니 어머니께서는 안심하고 후일을 기다리십시오.

근래에 곡산댁의 눈치를 보니 상공의 사랑을 잃을까 하여 우리 모자를 원수같
재상을 높여 부르는 말.
이 알고 있습니다. ✲ 이에 장차 큰 화를 입을까 하오니 어머니께서는 소자가 나

감을 염려하지 마십시오." / 하니 그 어머니 또한 이 말을 듣고 슬퍼하였다.

#2 원래 곡산댁은 곡산 지방의 기생으로 상공의 첩이 되었는데 이름은 초란이

었다. 아주 교만하고 방자하여 자기 마음에 들지 않는 사람은 공에게 모함하니 집
무례하고 건방져서. _나쁜 꾀로 남을 어려운 처지에 빠지게 하니._
안에 폐단이 끊이질 않았다. 이런 가운데 자기는 아들이 없고 춘섬은 길동을 낳은
어떤 일이나 행동에서 나타나는 옳지 못한 경향이나 해로운 현상.
데다 상공이 늘 길동을 귀하게 여기니 속으로 시기하여 길동을 없애 버릴 마음만

먹고 있었다.

하루는 초란이 흉계를 생각해 내어 무녀를 불러 의논하였다.
흉악한 꾀나 수단. _여자 무당._
"내 한 몸 평안하게 살려면 길동을 없애는 수밖에 없다. 만일 나의 소원을 이루

어 준다면 그 은혜를 후하게 갚겠다."

무녀가 그 말을 듣고 기쁘게 대답하였다. / "지금 흥인문 밖에 제일가는 관상녀
사람의 얼굴을 보고 그의 운명, 성격, 수명을 판단하는 일을 직업으로 하는 여자.
가 있는데 사람의 얼굴을 한 번 보면 전후 길흉을 알아맞힌답니다. 불러다 소원
_운이 좋고 나쁨._
을 자세히 말하고, 공께 소개하여 관상녀가 전후사를 자신이 본 듯이 꾸며서 이

야기하도록 하십시오. 그러면 공이 속아 넘어가 길동을 없애려고 할 터이니 그

때를 틈타 이리이리하면 어찌 좋은 계책이 아니겠는지요?"

★ 별별 포인트 ★

**< '홍길동'이 집을
떠나려는 이유 >**

• 대장부이지만 천한 몸(서자)이

라 천대를 받는 것이 서러움.

• 이름을 후세에 남기고 싶음.

• 곡산댁이 자신을 미워하여 큰

화를 입을까 염려됨.

➡ 능력이 뛰어나도 신분이 낮으면 천

대를 받는 당시 사회 상황 때문에 집

을 떠나기로 결심함.

#1 핵심 태그

| #   에게 집을 떠나
겠다는 결심을 말하는 홍길동

초란은 이 말을 듣고 기뻐하며 무녀에게 먼저 돈 오십 냥을 주고 관상녀를 불러 오도록 하였다.

이튿날 공이 안방에 들어와 부인과 더불어 길동의 비범함을 이야기하면서 다만 신분이 천함을 안타까워하고 있었다. 그때 한 여자가 들어오기에 공이 이상히 여겨 물었다.

보통 수준보다 훨씬 뛰어남.

"너는 누구이며 무슨 일로 왔느냐?"

"소인은 관상 보는 사람이온데 우연히 상공 댁에 이르렀사옵니다."

☆ 신분이 낮은 사람이 자기보다 신분이 높은 사람에게 자기를 낮추어 이르는 말.

공이 이 말을 듣고 길동의 장래를 알고자 하여 즉시 길동을 불러다 보이니 관상 녀가 한참을 보다가 놀라며 말하였다.

"☆ 이 공자의 상을 보니 천고의 영웅이요, 일대호걸이오나 신분이 부족한 것 말 고 다른 염려는 없을 듯하옵니다."

당대에 이름을 날린 지혜와 용기가 뛰어나고, 씩씩한 기상과 굳은 절개가 있는 사람.

하면서 말을 할 듯 말 듯 주저하니 공과 부인이 크게 의심이 생겨서 물었다.

"무슨 말인지 바른대로 이르라."

하니 관상녀가 마지못해서 응하는 체하며 주위 사람들을 밖으로 내보내게 한 후에야 입을 열었다.

"☆ 공자의 관상을 보니 가슴속에 조화가 무궁하고 눈썹 사이에 산천의 정기가 영롱하오니 진실로 왕이 될 모습입니다. 자라면 장차 온 집안이 멸망하는 화를 당할 걱정이 있으니 상공께서는 유념하시옵소서."

망하여 없어지는.

잊거나 소홀히 하지 않도록 마음속에 깊이 간직하여 생각하시옵소서.

공이 듣고 놀란 나머지 한참 동안이나 묵묵히 있다가 마음을 진정하고,

"사람의 팔자는 피하기 어려운 것이니 너는 이 말을 누설하지 마라."

비밀이 새어 나가게 하지.

하며 단단히 당부하고는 약간의 돈을 주어 보내었다.

#3 그 후로는 공이 길동을 뒷산 정자에 머물게 하고 행동 하나하나를 엄격히 감 시하였다. 길동은 설움이 더욱 북받쳤지만 어쩔 수가 없어 중국의 오래된 병서와 천문 지리를 공부하고 있었다. 공이 이 사실을 알고 크게 근심하며 말하였다.

말, 태도, 규칙을 매우 엄하고 철저하게.

군사를 지휘하여 전쟁하는 방법을 적은 책.

"이놈이 본래 재주가 있으니 만일 주제넘은 마음을 품게 되면 관상녀의 말과 같 이 될 터인데 이를 장차 어찌하랴?"

이때 초란이 길동을 없애고자 많은 돈을 들여 자객을 구하였는데 이름이 특재 였다. 초란은 특재에게 전후 내막을 자세히 일러 주고는 공에게 가서 아뢰었다.

겉으로 드러나지 않은 일의 속 내용.

"며칠 전 관상녀가 아는 일이 귀신 같으니 길동의 앞일을 어떻게 처리하려고 하 시는지요? 길동을 일찍 없애 버리는 것이 나을 듯하옵니다."

"이 일은 내가 알아서 할 일이니 너는 번거롭게 굴지 마라."

★ 별별 포인트 ★

< '초란'의 계략 >

실제 '홍길동'의 관상

• 천고의 영웅이자 일대호걸이나 신분이 부족함.
• 왕이 될 모습임.

+

'관상녀'가 지어낸 말

역모를 일으킬 인물이므로 집안을 망하게 할 것임.

↓

홍 판서가 홍길동을 뒷산 정자에 만 머물게 하는 원인이 됨.

#2 핵심 태그
초란의 흉계로 찾아와 홍길동이 집안을 멸망시킬 것이라고 말하는 #

공은 초란을 물리치기는 했으나 자연히 마음이 어수선하고 뒤숭숭하여 밤이면

<u>사람의 의도적인 행위 없이 저절로.</u>

잠을 이루지 못해 병이 나고 말았다.

부인과 인형이 크게 근심되어 어쩔 줄을 모르자 초란이 곁에 있다가 아뢰었다.

"상공의 병환이 위중하심은 길동으로 인한 것이옵니다. 저의 좁은 소견으로 길동

<u>어떤 일이나 사물을 살펴보고 가지게 되는 생각이나 의견.</u>

을 죽여 없애면 상공의 병환도 완쾌되실 뿐 아니라 가문도 보존될 것이옵니다."

부인이 이르기를,

"<u>천륜</u>이 귀중한데 어찌 차마 그런 일을 하겠나."

<u>하늘의 인연으로 정해져 있는 부모 형제 관계.</u>

하니 초란이 말하였다.

"듣자오니 특재라는 자객이 있는데 사람 죽이기를 주머니 속의 물건 꺼내듯 한

답니다. 그에게 많은 돈을 주고 밤에 들어가 해치면 상공이 아셔도 어찌할 수 없

사오니 부인은 깊이 생각해 보십시오."

부인과 인형이 눈물을 흘리면서 말하였다.

"이는 차마 못할 일이지만 첫째는 나라를 위함이요, 둘째는 상공을 위함이요,

셋째는 홍씨 가문을 보존하기 위함이니 너의 생각대로 하여라."

초란이 크게 기뻐하면서 다시 특재를 불러 사정을 자세히 일러 주고 오늘 밤에

급히 행하라 하였다. 특재가 그러겠노라 하고 밤이 되기를 기다렸다.

#3 핵심 태그
부인과 인형의 허락을 받고 자객 특재에게 홍길동을 죽이라고 하는 #

#4 한편 길동은 상공의 엄명으로 어쩔 수가 없으므로 밤마다 잠을 이루지 못하

<u>엄하게 명령함. 또는 그런 명령</u>

고 있었다. 그날 밤 촛불을 밝혀 놓고 책을 읽고 있는데 문득 까마귀가 세 번을 울

고 가는 것을 들었다. 이상한 예감이 들어 혼잣말로,

"저 짐승은 본래 밤을 꺼리는데 이제 울고 가니 심히 불길하구나."

하면서 잠시 점을 쳐 보고는 크게 놀라 책상을 밀치고 ☆<u>둔갑법</u>으로 몸을 숨긴 채

<u>마음대로 자기 몸을 감추거나 다른 것으로 변하는 술법.</u>

동정을 살피고 있었다. 밤중이 되자 한 사람이 <u>비수</u>를 들고 천천히 방으로 들어오

<u>일이나 현상이 벌어지고 있는 낌새.</u> <u>날이 예리하고 짧은 칼.</u>

기에 길동이 급히 몸을 감추고 주문을 외었다. 그러자 문득 한 줄기 <u>음산한</u> 바람이

<u>분위기가 을씨년스럽고 썰렁한.</u>

일어나면서 집은 간데없고 <u>첩첩산중</u>이 되었다. 특재가 크게 놀라 피하고자 했으나

<u>여러 산이 겹치고 겹친 산속.</u>

갑자기 길이 끊어지면서 <u>층암절벽</u>이 가로막아 오도가도 못하는 처지가 되었다.

<u>몹시 험한 바위가 겹겹으로 쌓인 낭떠러지.</u>

특재가 사방으로 방황하다가 피리 소리를 듣고서야 정신을 차리니 어떤 소년이

나귀를 타고 오며 피리 불기를 그치고는 꾸짖었다.

"너는 무엇 때문에 죄 없는 나를 죽이려 하느냐? 어찌 천벌이 없으리오?"

그러고는 주문을 외니 문득 검은 구름이 일어나며 비가 퍼붓듯이 쏟아지고 모래

와 자갈이 날리었다.

★ 별별 포인트 ★

< '홍길동'의 비범함 >

• 점을 쳐서 특재의 침입을 미리 앎.

• 둔갑법을 사용하여 몸을 숨김.

• 주문을 외워 풍경을 바꿈.

→ 고전 소설에 드러나는 전기적 요소를 통해 홍길동의 비범한 면모를 드러냄.

#4 핵심 태그
가 침입할 것을 점을 쳐서 알고 둔갑법을 써서 몸을 피하는 홍길동

작품 줄거리 요약하기

앞부분 줄거리

조선 세종 때 홍 판서는 용꿈을 꾼 후 여종 춘섬과의 사이에서 둘째 아들 홍길동을 낳는다. 홍 판서는 서자 신분인 홍길동의 뛰어난 재주를 안타까워한다. 홍길동은 홍 판서에게 호부호형(아버지를 아버지라고 부르고 형을 형이라고 부름)하지 못하는 자신의 한을 하소연하지만 꾸중만 듣는다.

제시 장면 줄거리

홍길동은 어머니에게 집을 떠나겠다는 결심을 말한다. 이때 홍 판서의 또 다른 첩인 ❶ ☐☐ 은 홍길동을 죽이기 위해 흉계를 꾸민다. 초란이 관상녀를 홍 판서에게 보내 홍길동이 역모를 꾸밀 거라고 말하게 하자, 이를 걱정한 홍 판서는 병에 걸린다. 본부인과 홍인형에게 허락을 받은 초란이 자객 ❷ ☐☐ 를 홍길동에게 보내지만, 홍길동은 이를 이미 알고 도술을 부려 죽음을 피한다.

뒷부분 줄거리

특재와 관상녀를 죽이고 집을 나온 홍길동은 도적의 우두머리가 되어 그 무리를 가난한 사람들을 살린다는 뜻의 '활빈당'이라 이름 짓는다. 활빈당은 팔도의 탐관오리를 혼내고, 그들의 재물을 빼앗아 가난한 백성들에게 나누어 준다.

조정에서는 홍길동을 잡으려고 아버지 홍 판서와 형 홍인형을 인질로 삼는다. 홍길동이 병조 판서를 시켜 주면 조선 땅을 떠나겠다고 하자, 임금은 홍길동의 요구대로 병조 판서 벼슬을 내려 준다.

활빈당을 데리고 조선을 떠난 홍길동은 기름진 평야가 있는 남쪽의 율도국을 차지하여 왕위에 오른다. 홍길동은 삼십 년 동안 율도국을 다스리다가 신선이 되어 세상을 떠난다.

오엑스 확인 문제

01 이 글에 대한 설명으로 맞으면 ○표, 틀리면 ✕표를 하시오.

인물	홍길동은 본처가 아닌 첩의 자식이다.	☐
사건	상공은 자객을 시켜 홍길동을 죽이려고 한다.	☐
배경	신분에 따른 차별이 있던 시대였다.	☐
소재	까마귀가 세 번 운 것은 나쁜 일이 일어날 것임을 암시한다.	☐

별별 포인트!☆

02 '홍길동'이 어머니에게 집을 떠나겠다고 한 이유로 가장 적절한 것은?

① 운봉산에 들어가 도를 닦고 싶어서
② 첩인 어머니가 천대받는 것이 서러워서
③ 곡산댁이 잘난 척하는 모습이 아니꼬와서
④ 어머니를 모시고 넓은 세상을 구경하고 싶어서
⑤ 자신의 능력을 펼쳐 세상에 이름을 널리 알리고 싶어서

03 '초란'에 대한 설명으로 적절하지 <u>않은</u> 것은?

① 성격이 교만하고 방자하다.
② 춘섬과 같은 첩의 신분이다.
③ 원래는 곡산 지방의 기생이다.
④ 아들을 낳으려고 무녀를 부른다.
⑤ 남이 잘되는 것을 샘하고 미워한다.

04 #4 에서 '어떤 소년'이 가리키는 인물이 누구인지 이름을 쓰시오.

> 특재가 사방으로 방황하다가 피리 소리를 듣고서야 정신을 차리니 어떤 소년이 나귀를 타고 오며 피리 불기를 그치고는 꾸짖었다.

_____

별별 포인트!☆
05 #4 에서 알 수 있는 '홍길동'의 비범함으로 적절하지 <u>않은</u> 것은?

① 둔갑법을 써서 자신의 몸을 숨기었다.
② 방 안을 첩첩산중과 층암절벽으로 바꾸었다.
③ 점을 쳐서 자객이 왔다는 사실을 미리 알았다.
④ 감시받는 것이 원통하여 밤마다 잠을 이루지 못하였다.
⑤ 주문을 외워 비가 쏟아지고 모래와 자갈이 날리게 하였다.

별별 포인트!☆
06 이 글을 통해 알 수 있는 당시 사회의 모습으로 적절하지 <u>않은</u> 것은?

① 첩이 낳은 자식은 천대를 받았다.
② 부모 자식 간의 인연을 천륜으로 여겼다.
③ 양반은 본처 외에도 첩을 여러 명 둘 수 있었다.
④ 신분이 낮아도 능력이 뛰어나면 벼슬을 할 수 있었다.
⑤ 신분이 낮은 사람은 신분이 높은 사람에게 자신을 낮추어 말했다.

07 등장인물들이 '홍길동'을 대하는 태도로 적절하지 <u>않은</u> 것은?

① 특재는 초란에게 많은 돈을 받고 홍길동을 죽이려 하고 있다.
② 상공은 홍길동이 왕이 될 모습이라는 말을 듣고 은근히 기뻐하고 있다.
③ 초란은 홍길동이 없어져야 자신이 편하게 살 수 있다고 생각하고 있다.
④ 홍길동의 어머니는 홍길동이 현실을 받아들이고 살아가기를 바라고 있다.
⑤ 공의 부인은 나라와 상공, 홍씨 가문을 위해 홍길동을 죽이자는 제안에 동의하고 있다.

08 다음은 '초란'이 꾸민 흉계를 과정별로 정리한 것이다. 적절하지 <u>않은</u> 것은?

> ① 초란이 무녀와 짜고 관상녀를 홍 판서에게 보냄.
> ↓
> ② 관상녀는 길동이 자라면 집안을 멸망하게 만들 것이라고 말함.
> ↓
> ③ 초란은 자객을 구한 후 홍 판서에게 길동을 죽이자고 말함.
> ↓
> ④ 초란은 병이 든 홍 판서에게 길동을 죽여도 좋다는 허락을 받아냄.
> ↓
> ⑤ 초란이 특재를 불러 오늘 밤에 길동을 죽이라고 함.

전래동화 홍길동전 02

81

8문제 중에

_____ 문제 맞혔어!

03
양반전 박지원

인물 군수
양반과 부자의 사연을 듣고, 부자에게
양반 매매를 증여하는 증서를 작성해 줌.

배경 조선 후기, 강원도 정선
조선 후기는 부유해진 평민들과 몰락한
양반들이 등장하면서 기존의 신분
질서가 흔들리던 시기임.

양반이 좋은 줄
알았더니
순 도둑놈일세.

양반 매매 증서

인물 부자
평민은 돈이 아무리 많아도 신분 때문에
천대를 받자, 부자는 가난한 양반에게서
신분을 사려고 함.

인물 양반, 양반의 아내
양반은 나라에서 곡식을 꾸어 먹기만 할 뿐
갚을 능력이 없음. 양반의 아내는
경제적으로 무능력한 양반을 비판함.

소재 양반 매매 증서
사건 부자가 양반 대신 곡식을 갚고 양반 신분을 사기로 함.
첫 번째 양반 매매 증서는 양반의 의무만 있을 뿐 이익이 없고,
고쳐 쓴 두 번째 양반 매매 증서는 양반이 특권으로 횡포를
부리는 내용뿐이라 부자는 양반 되기를 포기함.

읽기 포인트 》 부자는 양반이 관청에서 빌린 곡식을 대신 갚아 주고 양반에게서 신분을 사려고 한다. 양반 신분을 원했던 부자가 결국 양반되기를 포기하는 이유를 파악하며 읽어 보자.

#1 양반이란 사족을 높여 부르는 말이다. 강원도 정선 고을에 한 양반이 살고 있
_{문벌이 좋은 집안이나 선비나 무인의 집안. 또는 그 자손.}
었는데, 어질고 글 읽기를 좋아하였으므로 군수가 새로 올 때마다 반드시 그의 오
_{고을을 맡아 다스리는 으뜸 관리. 지금의 도지사.}
두막집에 가서 인사를 하였다. 그러나 살림이 가난하여 해마다 관청에서 곡식을

빌려 먹다 보니 해마다 쌓여서 갚아야 하는 곡식이 일천 섬이나 되었다. 관찰사가
_{곡식의 부피를 재는 단위. 쌀 한 섬은 약 144 kg.}
고을을 돌아다니다가 이곳에 이르러 관청 쌀의 출납을 조사하고는 크게 노하여,
_{돈이나 물품을 내어 주거나 받아들임.}
　"어떤 놈의 양반이 군대의 양식을 이렇게 축냈단 말인가?"

하고서 양반을 잡아 가두라고 하였다. 군수는 그 양반이 가난하여 갚을 길이 없는

것을 내심 안타깝게 여겨 차마 가두지는 못하였으나, 그 역시도 어찌할 수 없는

일이었다. 양반이 밤낮으로 울기만 하고 있으니, 양반의 아내가 그를 욕하였다.

　"� 당신은 평생 글만 읽더니 곡식을 갚는 데 아무 소용이 없구려. 양반, 양반 하더

니 참 딱하오. 그놈의 양반이란 것이 한 푼어치도 안 된단 말이오!"
_{엽전을 세던 단위. 한 푼은 돈 한 닢으로 적은 액수임.}
그때 그 마을에 사는 부자가 식구들을 모두 모아 놓고 의논하였다.

　� "양반은 아무리 가난해도 늘 귀하게 대접받고 사는데 우리는 아무리 돈이 많

아도 늘 천한 대접만 받지 않느냐. 말 한 번 타지를 못하고 양반만 보면 저절로

기가 죽어 굽실거리며 엎드려 절하고, 코를 땅에 대고 엉금엉금 기어야 한단 말

이다. 이제 저 건넛집 양반이 곡식을 갚지 못해 곧 붙잡혀 가게 생긴 모양인데,

그 형편에 도저히 양반 자리를 지키지 못할 거란 말이지. � 이 기회에 내가 그

자리를 사서 양반 행세를 하는 게 어떻겠는가?"

부자가 곧 양반의 집에 찾아가서 곡식을 대신 갚아 주겠다고 하니, 양반은 크게

기뻐하며 허락하였다. 부자는 곧바로 곡식을 관아에 보내어 갚았다. 군수는 이를

놀랍게 생각하여 양반을 찾아갔다. 그러자 양반은 하인이 쓰는 벙거지를 쓰고 짧

은 홑바지를 입은 채 사립문 밖 땅바닥에 엎드려 "소인, 소인." 하면서 군수를 감

히 바로 쳐다보지 못하였다. 군수가 깜짝 놀라 그 이유를 묻자 양반이 계속 머리를

조아리며 말하였다.

　"황송하옵니다. 소인이 양반 자리를 팔아서 관아에서 빌렸던 곡식을 모두 갚았

사옵니다. 이제 저 건넛집 부자가 양반이옵니다. 그러니 어찌 이전처럼 양반 행

세를 하겠나이까?"

군수는 그 말을 듣고 감탄하였다.

★ **별별 포인트** ★

< 이 글에 드러난 사회상 >

● 가난한 양반이 생겨 남.

● 신분제에 의한 불평등이 있었음.

● 부유한 평민 계층이 등장함.

● 신분을 사고팔 수 있었음.

⇓

부자가 양반 신분을 사려고 마음
먹게 되는 이유

"그 부자야말로 진실로 양반답다. 부자면서 인색하지 않으니 정의롭고, 남의 어려움을 도와주니 어질며, 비천한 것을 싫어하고 존귀한 것을 좋아하니 지혜롭구나. 그러나 양반 신분을 사사로이 주고받으면 나중에 소송의 꼬투리가 될 수 있다. 그러니 내가 직접 증서를 만들어 주리라."

#2 군수는 관아로 돌아가 사족, 농부, 장인, 장사치를 모두 뜰에 불러 모았고, 바로 ※ 증서를 만들기 시작하였다.

"1745년 9월 아무 날, 이 증서는 양반을 팔아서 나라의 곡식을 갚기 위한 것으로 그 값은 쌀 일천 섬이다. 양반은 여러 가지로 불리는데, 글만 읽으면 '선비'라 하고, 벼슬살이하면 '대부'라 하고, 덕이 있으면 '군자'라 한다. 무반은 서쪽에 서고, 문반은 동쪽에 늘어서니 이 양쪽을 통틀어 '양반'이라 하니 이 여러 가지 중에서 마음대로 골라잡으면 되는데, 양반은 비천한 일을 해서는 안 되며 옛사람을 본받아 뜻을 고상하게 세워야 한다.

무과 출신의 벼슬아치.
문과 출신의 벼슬아치.

늘 오경만 되면 일어나 등불을 밝히고, 앉을 때는 정신을 가다듬어 눈으로 코끝을 내려다보며, 두 발꿈치는 가지런히 한데 모아 엉덩이를 괸 채로 어려운 글도 얼음 위에 박 밀 듯이 술술 외워야 한다. 굶주림을 참고 추운 것도 견뎌야 하며 어떤 일이 있어도 가난하다는 말을 입 밖에 내서는 안 된다. 가만히 앉아 있을 때는 건강을 위하여 아래윗니를 마주쳐 딱딱 소리를 내며, 손바닥으로 뒤통수를 톡톡 퉁기면서 콧소리를 킁킁 내며, 입맛을 다시듯이 입 안에 침을 모아 삼켜야 한다. 탕건이나 갓의 먼지는 소맷자락으로 문질러 털되 먼지가 파도치듯이

새벽 세 시에서 다섯 시 사이.
갓 아래 받쳐 쓰던 말총으로 만든 쓰개.

일어나게 해야 한다. 세수할 때는 주먹을 비비지 말며, 양치질을 해서 입 냄새가 나지 않게 한다. 하인을 부를 때는 목소리를 길게 뽑아서 부를 것이며, 걸을 때는 느릿느릿 걸어야 한다.

중국의 시와 산문을 깨알같이 베껴 쓰되 한 줄에 백 자씩 써야 한다. 손에 돈을 지니지 말고, 쌀값을 묻지 말며, 더워도 버선을 벗지 말아야 한다. 밥을 먹을 때는 맨상투 바람으로 먹지 말며, 국을 먼저 떠먹지 말며, 마실 때 후루룩 소리가 나게 마시지 말며, 젓가락을 방아 찧듯이 하지 말며, 생파를 먹지 말아야 한다. 술 마실 때는 수염을 빨지 말며, 담배를 피울 때는 볼이 오목하게 파이도록 빨아들이지 말아야 한다.

화가 나도 아내를 때려서는 안 되며, 성이 나도 그릇을 던져서는 안 되며, 아이들에게 주먹질 말고, 종들을 욕해선 안 되며, 마소를 꾸짖되 그것을 판 주인을 욕해서는 안 된다. 아프다고 무당을 불러선 안 되며, 제사를 지낼 때 중을 불러

다가 재를 올려서도 안 되며, 춥다고 화롯불을 쬐어도 안 되며, 말할 때 침을 튀
_{절에서 부처에게 음식을 바침.}
겨서도 안 되며, 소 잡는 일 하지 말고, 노름하지 말아야 한다.

이와 같은 모든 행위 중 부자가 어기는 것이 있으면 양반은 이 증서를 가지고
관에 와서 바로잡을 수 있다."

#2 핵심 태그
#_____ 이 지켜야 할
일이 적힌 첫 번째 양반 매매
증서를 작성하는 군수

#3 정선 군수와 좌수, 별감이 서명을 하고 곧이어 통인이 관의 도장을 가져와 찍
_{군수에게 조언을 주거나, 군수를 감독하는 지방의 관리들.   수령의 잔심부름을 하던 사람.}
는데 그 소리가 마치 북을 치는 것과 같고 그 찍은 모양은 북두성이 세로로 놓이
고 삼성이 가로로 놓인 듯했다. 호장이 이 증서를 소리 높여 읽어 주니 부자는 길
_{군수 밑에서 일을 하는 사람 중의 우두머리.}
게 한숨을 내뿜으며 말했다.

"양반이라는 게 겨우 이것뿐이오? 양반은 신선과 같다 들었는데 정말 이렇다면
너무 보잘것없사옵니다. 부디 제게 이익이 있도록 문서를 고쳐 주십시오."

그러자 군수는 증서를 다시 만들었다.

"하늘이 백성을 낳을 때 사농공상, 넷으로 구분하였다. 이 가운데 가장 높은 것
_{선비, 농부, 공장(수공업에 종사하는 장인), 상인.}
이 선비, 곧 양반이다. 양반은 몸소 농사짓지 않고 장사도 하지 않지만, 조금만
글을 읽으면 크게는 문과에 급제하고, 작게는 진사가 된다. 문과에 급제하면 홍
패를 받는데, 그 길이는 비록 두 자가 안 되지만 그 안에 백 가지를 두루 갖추고
_{과거 시험에 합격한 사람에게 주던 증서.}
있어 그야말로 돈 자루인 것이다. 나이 서른에 진사가 되어 첫 벼슬을 하더라도
_{길이의 단위. 약 30.3 cm.}
이름 높은 음관이 될 수 있고 남행으로 큰 고을 수령 자리를 맡게 되어 귀밑이
_{과거를 보지 않고 조상의 공덕에 의하여 맡은 벼슬.}
양산 바람에 하얘지고, 사령들의 '예이.' 하는 소리에 먹지 않아도 절로 배가 부
_{관아에서 심부름하는 사람.}
르고, 방 안에는 기생을 데려다 앉혀 놓고, 뜰에는 곡식을 쌓아 학을 기를 수 있
다. 하다못해 시골에서 가난한 선비로 살더라도 자기 마음대로 할 수 있으니, 이
웃집 소를 끌어와 자기 밭을 먼저 갈게 하고, 마을 사람을 잡아다가 자기 밭을
먼저 김매게 할 수 있다. 만일 어떤 놈이 양반을 업신여기고 말을 듣지 않을 때는
_{논밭의 잡풀을 뽑아내게.}
그놈의 코에다 잿물을 들이붓고 상투 꼬투리를 잡아 휘휘 돌리고 수염을 잡아
_{짚이나 나무를 태운 재를 우려낸 물. 빨래할 때 씀.}
뽑는다 하더라도 감히 원망하지 못할 것이다."

부자는 듣고 있다가 기가 막히고 어이가 없어 혀를 내둘렀다.

"☆ 제발 그만! 그만두시오. 양반이라는 것이 참 맹랑하기도 하오. 장차 나를 도
_{생각하던 바와 달리 허망하기도.}
둑놈으로 만들 작정이오?"

부자는 말을 마치기가 무섭게 머리를 흔들며 가 버렸다. 그리고 다시는 '양반'이
란 말을 입 밖에 내지 않았다.

★ 별별 포인트 ★

< '도둑놈'의 의미 >

도둑놈
|
• 양반을 '도둑놈'이라고 적나라하
게 표현함.
• 양반의 특권으로 재물을 모으며,
백성들을 괴롭히는 모습이 도둑
과 같음.

→ 부자의 말을 통해 양반에 대한 작
가의 비판 의식이 드러남.

#3 핵심 태그
두 번째 양반 매매 증서에 적힌
양반의 특권을 듣고 양반되기를
포기하는 #_____

작품 줄거리 요약하기

제시 장면 줄거리

　강원도 정선 고을에 어질고 글 읽기를 좋아하는 양반이 살았다. 집안이 가난하여 관청에서 곡식을 꾸어다 먹었는데 그 빚이 천 섬이나 되었다. 관찰사가 이 사실을 알고는 크게 화를 내며 양반을 잡아 가두라고 한다. 양반은 곡식을 갚을 방법이 없자 밤낮으로 울기만 하고, 양반의 아내는 양반이란 것이 한 푼 어치도 안 된다며 양반을 나무란다.

- -

　이때 그 마을의 부자가 양반은 아무리 가난해도 귀한 대접을 받고, 평민은 아무리 돈이 많아도 천한 대접을 받으므로 가난한 양반에게 돈을 주고 양반 신분을 사기로 한다. 부자가 양반 대신 곡식을 갚자, 이를 알게 된 고을의 군수는 이 사실을 증서로 작성해 두려고 한다.

- -

[첫 번째 양반 매매 증서]

　군수가 처음 작성한 매매 증서로, 1 [　][　] 이 지켜야 할 덕목과 행실 등 양반으로서 지켜야 할 의무가 적혀 있다.

[두 번째 양반 매매 증서]

　부자가 이익이 없으니 증서의 내용을 고쳐 달라고 하자 양반이 누릴 수 있는 특권을 나열한 두 번째 증서를 작성한다.

- -

　고친 증서의 내용을 들은 부자는 양반을 2

[　][　] 이라고 하며 군수가 증서를 만드는 것을 그만두게 하고 다시는 양반이 되겠다는 말을 꺼내지 않았다.

오엑스 확인 문제

01 이 글에 대한 설명으로 맞으면 ○표, 틀리면 ✕표를 하시오.

인물　양반은 어질고 글 읽는 것을 좋아한다.　[　]

사건　부자는 군수의 소개로 양반 신분을 사려고 한다.　[　]

배경　조선 후기에는 돈으로 양반 신분을 사고파는 것이 가능하였다.　[　]

소재　군수는 부자와 양반만 불러서 양반 매매 증서를 몰래 작성하였다.　[　]

별별 포인트
02 이 글에서 알 수 있는 당대 사회의 모습으로 적절하지 않은 것은?

① 몰락한 양반 계층이 등장하였다.
② 기존의 신분 질서가 흔들리고 있었다.
③ 경제적으로 부유해진 평민 계층이 생겨났다.
④ 아무리 돈이 많아도 평민은 차별 대우를 받았다.
⑤ 양반이 나라에 진 빚을 갚지 못하면 신분을 빼앗기기도 했다.

03 [보기]에서 설명하는 등장인물을 이 글에서 찾아 쓰시오.

보기
- 양반에 대한 작가의 입장을 대변함.
- 경제적으로 무능하고 생산적이지 못한 양반을 직접적으로 비판함.

04 #가 와 #나 의 시어에 대한 감상으로 적절하지 <u>않은</u> 것은?

① #가 의 '만수산 드렁칡'은 얽혀 있는 고려의 낡은 세력을 비유한 거야.

② #가 에서 '우리'라고 한 것으로 보아 상대방과 함께하고자 하는 의지를 표현한 거야.

③ #나 에서 '이 몸'이라는 말로 상대방과 화자 자신을 분리하고 있지.

④ #나 의 '진토'는 오랜 세월이 지나도 화자의 마음이 변하지 않을 것임을 강조해.

⑤ #나 의 '일편단심'은 한 조각의 붉은 마음이라는 뜻으로, 변함없는 충성심을 의미해.

별별 포인트!
05 #가 와 #나 의 표현 방식을 비교한 내용으로 적절한 것은?

	#가	#나
①	직설적인 표현으로 화자의 생각을 전달함.	설의적 표현으로 상대방의 생각을 떠봄.
②	비유를 사용하여 은근하게 의미를 전달함.	설의적 표현으로 화자의 마음을 강조함.
③	점층적인 표현으로 단호한 의지를 보임.	직설적 표현으로 상대방을 강하게 설득함.
④	옛일을 근거로 화자의 입장을 합리화함.	자연물에 빗대어 화자의 생각을 돌려 말함.
⑤	자연물에 빗대어 화자의 생각을 직접적으로 드러냄.	유사한 사례를 들어 간접적으로 상대방의 제안을 거절함.

06 #다 를 고려할 때, ㉠의 의미로 가장 적절한 것은?

① 최영 ② 우왕 ③ 공양왕
④ 이방원 ⑤ 이성계

07 #가 와 #나 를 낭송할 때, 각 시가의 분위기에 어울리는 목소리로 적절한 것은?

	#가	#나
①	밝고 힘찬 목소리	아주 부드러운 목소리
②	호통치듯 강한 목소리	쓸쓸하고 가냘픈 목소리
③	협박하듯 엄숙한 목소리	활기차고 씩씩한 목소리
④	부드럽게 달래는 목소리	분명하고 힘 있는 목소리
⑤	당부하듯 나긋나긋한 목소리	슬프게 떨리는 듯한 목소리

08 #가 와 #나 의 화자가 대화를 나눈다고 가정할 때, 빈칸에 들어갈 말로 적절하지 <u>않은</u> 것은?

> #가 의 화자: _____
>
> #나 의 화자: 내가 일백 번을 죽어, 백골이 진토가 되고, 넋이 사라지더라도 고려의 신하로 남겠습니다.
>
> #가 의 화자: 생각을 바꾸어 뜻을 함께합시다.
>
> #나 의 화자: 내 마음은 절대로 변하지 않을 것이오.

① 아버지 이성계를 도와주시오.
② 끝까지 지금의 왕을 모셔야겠소?
③ 고려에 끝까지 충성을 바칩시다.
④ 새로운 왕조를 세우는 데 협조해 주시오.
⑤ 새 왕조의 신하면 어떻고, 고려의 신하면 어떻소.

8문제 중에

_____ 문제 맞혔어!

05
봉산 탈춤 작자 미상
제6과장 양반춤

인물 취발이
나라의 돈을 부정하게 사용하여 부를 쌓은 상인. 조선 후기에 급속하게 성장한 상인 계층을 상징함.

아이고!
이 무식한
양반들아!

소재 전령
양반의 명령이 적힌 종이로, 이를 통해 말뚝이가 취발이를 잡아 옴.

인물 말뚝이
말을 끄는 하인. 서민의 대변자로서 겉으로는 양반에게 순종하는 척하지만, 실제로는 양반을 비판하고 조롱함.

말뚝이의 상전

양반 삼 형제의 하인

인물 양반 삼 형제(왼쪽부터 생원, 서방, 도령)
말뚝이의 상전. 말뚝이의 변명을 곧이곧대로 믿고, 스스로 어리석음을 드러내는 놀이를 하여 놀림감이 됨.

배경 조선 후기, 황해도 봉산
봉산 지역에서 공연되던 탈춤으로, 신분 질서가 흔들리고 돈을 최고로 여기는 풍조가 있던 당시의 사회상을 보여 줌.

읽기 포인트 » 하인인 말뚝이가 양반 삼 형제를 비웃고 놀리는 장면과 양반의 명령을 받고 말뚝이가
상인 계층인 취발이를 잡아들이는 장면에 반영된 조선 후기의 사회상을 파악하며 읽어 보자.

#1 **말뚝이** (벙거지를 쓰고 채찍을 들었다. <u>굿거리장단</u>에 맞추어 양반 삼 형제를 <u>인</u>
농악에 쓰는 느린 4박자의 장단. 보통 행진곡과 춤의 반주에 씀.
<u>도</u>하여 등장.)
길이나 장소를 안내하여.

양반 삼 형제 (말뚝이 뒤를 따라 굿거리장단에 맞추어 점잔을 피우나, 어색하게 춤
점잖은 태도.
을 추며 등장. 양반 삼 형제 맏이는 샌님, 둘째는 서방님, 끝은 도련님이다. 샌님과
서방님은 흰 <u>창옷</u>에 관을 썼다. 도련님은 남색 쾌자에 <u>복건</u>을 썼다. 샌님과 서방님
두루마기와 비슷한 웃옷. 소매가 없이 긴 옷.
은 <u>언청이</u>이며(샌님은 언청이 두 줄, 서방님은 한 줄이다.) 부채와 <u>장죽</u>을 가지고
윗입술이 세로로 찢어진 사람. 긴 담뱃대.
있고, 도련님은 입이 삐뚤어졌고 부채만 가졌다. 도련님은 대사는 <u>일절</u> 없으며, 형
아주, 전혀, 절대로의 뜻.
들과 동작을 같이하면서 형들의 면상을 부채로 때리며 방정맞게 군다.)

#1 핵심 태그

#　　　　　와

양반 삼 형제의 등장

#2 **말뚝이** (가운데쯤에 나와서) 쉬이. (음악과 춤 멈춘다.) 양반 나오신다아! 양반
이라고 하니까 <u>노론, 소론, 호조, 병조, 옥당</u>을 다 지내고 삼정승, <u>육판서</u>를 다
조선 시대의 여러 당파와 기관. 모든 벼슬아치를 이르는 말.
지낸 <u>퇴로 재상</u>으로 계신 양반인 줄 알지 마시오. <u>개잘량</u>이라는 '양' 자에 <u>개다</u>
늙어서 벼슬에서 물러남. 흔히 깔고 앉는 데에 쓰는 털이 붙어 있는 개의 가죽.
<u>리소반</u>이라는 '반' 자 쓰는 양반이 나오신단 말이오.
다리를 개다리처럼 구부정하게 만든 작은 밥상.

양반들 야아, 이놈, 뭐야아!

말뚝이 아, 이 양반들, 어찌 듣는지 모르갔소. 노론, 소론, 호조, 병조, 옥당을 다
지내고 삼정승, 육판서 다 지내고 퇴로 재상으로 계신 이 생원네 삼 형제분이
나오신다고 그리하였소.

양반들 (합창) 이 생원이라네. (굿거리장단으로 모두 춤을 춘다. 도령은 때때로 형들
의 면상을 치며 논다. 끝까지 그런 행동을 한다.)

말뚝이 쉬이. (반주 그친다.) 여보, 구경하시는 양반들, 말씀 좀 들어 보시오. 짤따
란 곰방대로 잡숫지 말고 저 <u>연죽전</u>으로 가서 돈이 없으면 내게 <u>기별</u>이라도 해
담뱃대를 파는 가게. 다른 곳에 있는 사람에게 소식을 전함.
서 <u>양칠간죽, 자문죽</u>을 한 발이 넘는 것을 사다가 육모깍지 <u>희자죽</u>, <u>오동수복</u>
알록달록한 담뱃대. 대나무 담뱃대. 육각형 모양의 대나무 담뱃대.
<u>연변죽</u>을 사다가 이리저리 맞추어 가지고 저 재령 <u>나무리</u> 게 낚시 걸 듯 죽 걸
'수복(오래 살고 복을 누림)'이라는 글자를 새긴 담뱃대. 재령에 있는 평야 이름.
어 놓고 잡수시오.

양반들 뭐야아!

말뚝이 아, 이 양반들, 어찌 듣소. 양반 나오시는데 담배와 <u>훤화</u>를 금하라고 그리
시끄럽게 지껄이며 떠듦.
하였소.

양반들 (합창) 훤화를 금하였다네. (굿거리장단으로 모두 춤을 춘다.) 〈중략〉

★ 별별 포인트 ★

〈 재담 구조 〉

| '쉬이' | • 재담의 시작을 알림.
• 음악과 춤을 멈춤.
• 관객의 이목을 집중시킴. |

↓

양반의 위엄 → 말뚝이의 조롱 →
양반의 호통 → 말뚝이의 변명 →
양반의 안심

↓

| 춤 | • 각 재담을 마무리하고 구분함.
• 갈등을 일시적으로 해소함.
• 흥겨운 분위기를 조성함. |

#2 핵심 태그

양반의 등장을 알리며 담배와

#　　　　　를 금하라고

말하는 말뚝이

#3 생 원 그러면 이번엔 파자나 하여 보자. 주둥이는 하얗고 몸뚱이는 알락달
한자의 자획을 나누거나 합하여 맞히는 수수께끼.
락한 자가 무슨 자냐?

서 방 (한참 생각하다가) 네에, 거 운고옥편에도 없는 자인데, 그것 참 어렵습니
한시의 운을 맞출 때 쓰이는 글자를 분류하여 풀어 놓은 사전.
다. 그 피마자라고 하는 자가 아닙니까? / 생 원 아, 거 동생 참 용할세.
아주까리씨. 주둥이는 하얗고 몸은 알록달록함.

서 방 형님, 내가 그럼 한 자 부르라우? / 생 원 부르게.

서 방 논두렁에 살피 짚고 섰는 자가 무슨 잡니까?
물꼬를 트거나 막는 데 쓰는 농기구인 '살포'의 방언.

생 원 (한참 생각하다가) 아, 그것 참 어려운 잘세. 그것은 논임자가 아닌가?
논을 소유한 사람.

서 방 하하, 그것 형님 참 잘 맞혔습니다. (이러는 동안에 취발이 살짝 들어와 한편

구석에 서 있다.)

#3 핵심 태그

엉터리로 #〔   〕놀이를

하여 어리석음을 드러내는

생원과 서방

#4 생 원 이놈, 말뚝아. / 말뚝이 예에.

생 원 나랏돈 노랑돈 칠 푼 잘라먹은 놈, 상통이 무르익은 대춧빛 같고, 울룩줄
'얼굴'을 속되게 이르는 말.
룩 뱀의 잔등 같은 놈을 잡아들여라.

말뚝이 그놈이 힘이 무량대각이요, 날램이 비호 같은데, 샌님의 전령이나 있으
힘이 헤아릴 수 없을 정도로 셈.   빠르게 달리는 범.   명령임을 알리는 증서.
면 잡아 올는지 거저는 잡아 올 수 없습니다.

생 원 오오, 그리하여라. 옜다. 여기 전령 가지고 가거라. (종이에 무엇을 써서 준

다.)

말뚝이 (종이를 받아들고 취발이한테로 가서) 당신 잡히었소.

취발이 어데, 전령 보자.

말뚝이 (종이를 취발이에게 보인다.)

취발이 (종이를 보더니 말뚝이에게 끌려 양반의 앞에 온다.)

말뚝이 (취발이 엉덩이를 양반 코앞에 내밀게 하며) 그놈 잡아들였소.

생 원 아, 이놈 말뚝아. 이게 무슨 냄새냐?

말뚝이 예, 이놈이 피신을 하여 다니기 때문에, 양치를 못하여서 그렇게 냄새가
위험을 피하여 몸을 숨김.
나는 모양이외다.

생 원 그러면 이놈의 모가지를 뽑아서 밑구녕에다 갖다 박아라.
'목'을 속되게 이르는 말.   밑구멍. '항문'을 속되게 이르는 말.

말뚝이 샌님, 말씀 들으시오. 시대가 금전이면 그만인데, 하필 이놈을 잡아다

죽이면 뭣 하오? 돈이나 몇백 냥 내라고 하야 우리끼리 노나 쓰도록 하면, 샌
여러 몫으로 갈라 나누어.
님도 좋고 나도 돈냥이나 벌어 쓰지 않겠소. 그러니 샌님은 못 본 체하고 가만

히 계시면 내 다 잘 처리하고 갈 것이니, 그리 알고 계시오. (굿거리장단에 맞추

어 일제히 어울려서 한바탕 춤추다가 전원 퇴장한다.)

★ 별별 포인트 ★

< 이 글에 반영된 조선
후기의 시대상 >

'취발이'의 등장
상인 계층이 비리를 저질러 부를
쌓음.

'생원'의 전령
양반의 권위와 위력이 남아 있음
을 보여 줌.

"시대가 금전이면 그만인데."
돈을 받고 취발이를 풀어 주자는 것
에서 물질 만능주의와 부패한 시
대상을 풍자함.

#4 핵심 태그

생원에게서 #〔   〕을

받아 취발이를 잡아들이는

말뚝이

오엑스 확인 문제

01 이 글에 대한 설명으로 맞으면 ○표, 틀리면 ×표를 하시오.

인물 말뚝이는 양반 삼 형제의 하인이다.

사건 말뚝이는 취발이를 잡지 못하고 놓친다.

배경 주로 황해도 봉산 지역에서 행해지던 탈춤의 대본이다.

소재 '파자 놀이'는 양반 삼 형제의 학식과 교양이 뛰어남을 드러낸다.

02 다음은 이 글에서 반복되는 재담의 구조이다. ⓐ와 ⓑ에 들어갈 알맞은 말을 쓰시오.

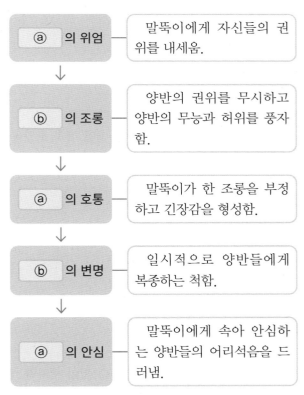

ⓐ 의 위엄 — 말뚝이에게 자신들의 권위를 내세움.

↓

ⓑ 의 조롱 — 양반의 권위를 무시하고 양반의 무능과 허위를 풍자함.

↓

ⓐ 의 호통 — 말뚝이가 한 조롱을 부정하고 긴장감을 형성함.

↓

ⓑ 의 변명 — 일시적으로 양반들에게 복종하는 척함.

↓

ⓐ 의 안심 — 말뚝이에게 속아 안심하는 양반들의 어리석음을 드러냄.

• ⓐ: _____

• ⓑ: _____

03 이 글에서 알 수 있는 당시 사회의 모습으로 적절하지 <u>않은</u> 것은?

① 양반의 권위가 완전히 추락하였다.
② 엄격했던 신분 제도가 흔들리고 있었다.
③ 부정부패로 재산을 모은 사람들이 있었다.
④ 많은 재산을 가진 상인 계층이 등장하였다.
⑤ 돈을 중시하는 물질 만능주의가 만연하였다.

04 이 글에 대한 반응으로 적절하지 <u>않은</u> 것은?

① 차림새로 인물의 신분을 드러내고 있군.
② 서로 다른 재담이 원인과 결과로 이어지는군.
③ 무대와 관객석이 뚜렷하게 구분되어 있지 않군.
④ 말장난을 통해 관객들의 웃음을 유발하고 있군.
⑤ 등장인물이 관객들에게 직접 말을 건네고 있군.

05 다음은 **#2**의 한 부분이다. ㉠과 ㉡의 기능으로 적절하지 <u>않은</u> 것은?

> 양반들 (합창) 이 생원이라네. (굿거리장단으로 모두 ㉠춤을 춘다. 도령은 때때로 형들의 면상을 치며 논다. 끝까지 그런 행동을 한다.)
> 말뚝이 ㉡쉬이. (반주 그친다.) 여보, 구경하시는 양반들, 말씀 좀 들어 보시오.

① ㉠은 관객의 흥을 돋워 분위기를 고조한다.
② ㉠은 재담을 마무리하고 이어질 재담과 구분한다.
③ ㉡은 새로운 재담이 시작됨을 알린다.
④ ㉡은 관객의 시선을 공연에 집중하게 한다.
⑤ ㉡은 인물 간의 갈등을 일시적으로 해소한다.

5문제 중에 _____ 문제 맞혔어!

어휘로 마무리

기억해 보자!
01 박씨전   02 홍길동전   03 양반전
04 하여가 / 단심가   05 봉산 탈춤

01 다음 문장에 들어가기에 알맞은 어휘를 찾아 연결하시오.

한줄 Hint

각 문장에서 인물이 어떠한 상황에 처해 있는지를 살펴본다.

(1) 화살만 계속 헛되이 쓰자 용골대는 어찌할 줄 모르고, 그 신기함에 [   ]할 뿐이었다. · · ㉠ 우왕좌왕

(2) 어디로 도망가야 할지 몰라 [   ]하며 불에 타 죽은 오랑캐 군사가 수도 없이 많았다. · · ㉡ 탄복

(3) 용골대가 크게 놀라 급히 물러나며 하늘을 우러러 [   ]하였다. · · ㉢ 탄식

02 다음 밑줄 친 '흉계'의 뜻으로 적절한 것은?

한줄 Hint

여기서의 '흉계'는 바로 뒤에 나오는 '길동을 없애는 일'을 가리킨다.

하루는 초란이 흉계를 생각해 내어 무녀를 불러 의논하였다.
"내 한 몸 평안하게 살려면 길동을 없애는 수밖에 없다. 만일 나의 소원을 이루어 준다면 그 은혜를 후하게 갚겠다."

㉠ 계획을 세움. 또는 그 계획.
㉡ 아주 나쁘고 궂은 일을 이루기 위한 꾀나 수단.
㉢ 잘못한 일에 대하여 이리저리 돌려 말하는 구차한 변명.

03 다음 밑줄 친 어휘를 바꾸어 쓰기에 적절한 것은?

한줄 Hint

먼저 앞뒤의 말을 보고 어떤 상황인지 파악한다.

"너희 말대로 왕비는 모셔 가지 말 것이며, 너희가 어쩔 수 없이 세자와 대군을 모셔 가야 한다면 그것까지는 하늘의 뜻이니 거역하지 못하겠구나. 부디 조심해서 모셔 가라."

㉠ 듣지   ㉡ 따르지   ㉢ 어기지

#3 대개 수궁은 육지의 사정에 밝지 못한 까닭에 용왕은 토끼의 말을 묵묵히 듣고 있다가 속으로 헤아리되,

'만일 저 말과 같을진대, 배를 갈라 간이 없으면 애써 잡은 토끼만 죽일 따름이요, 다시 누구에게 간을 얻을 수 있으리오? 차라리 살살 달래어 육지에 나가 간을 가져오게 함이 옳도다.'

하고 좌우에 명하여 토끼의 결박을 풀고 자리를 마련해 편히 앉도록 했다. 토끼가
<small>몸이나 손을 움직이지 못하도록 동여 묶음.</small>
자리에 앉아 황공함을 이기지 못하거늘, 용왕이 가로되,
<small>위엄이나 지위에 눌려 두려움.</small>
"토 선생은 과인의 무례함을 너무 탓하지 마시게."

하고, 옥으로 만든 술잔에 귀한 술을 가득 부어 권하며 여러 번 위로하였다. 〈중략〉

#3 핵심 태그
토끼의 꾀에 속아 토끼를
**#　　　　　**이라고 부르며
위로하는 용왕

#4 그리하여 토끼는 다시 별주부의 등에 올라앉아 너른 바닷물을 건너 육지에 이르렀다. 별주부가 토끼를 내려놓으니, 토끼는 기쁨에 겨워 노래하되,

"이는 진실로 그물을 벗어난 새요, 함정에서 도망 나온 범이로다. 만일 나의 묘한 꾀가 아니었더라면, 어찌 고향 산천을 다시 볼 수 있었으리오?"

하며 사방으로 팔짝팔짝 뛰놀았다. / 별주부가 토끼의 이런 모습을 보고 말하였다.
"우리가 갈 길이 바쁘니, 그대는 속히 돌아갈 일을 생각하라."

토끼가 큰 소리로 웃으며, / "미련한 자라야, 배 속에 든 간을 어이 들이고 낼 수 있겠느냐? ☆이는 잠시 나의 묘한 꾀로 미련하고 어리석은 너희 용왕과 수국 신하들을 속인 말이로다. 또, 너희 용왕이 병든 것이 나와 무슨 관계가 있다는 말이냐? 예로부터 전해지는 풍마우불상급(風馬牛不相及)이란 말은 이를 두고 이름이라. 그리고 이놈, 별주부야! 아무 걱정 없이 산속에서 한가로이 지내던 나를 유
<small>'서로 아무런 관계가 없음.'을 뜻하는 말.</small>
인하여 너의 공을 이루려 하였으니, 수궁에서 죽을 뻔한 일을 생각하면 아직도 머리털이 꼿꼿이 서는 듯하다. 너를 죽여 나의 분을 풀어야 마땅하겠지만, 네가 나를 업고 만리창파 너른 바닷길을 왕래하던 수고를 생각하여 목숨만은 살려 주
<small>만 리까지 펼쳐진 푸른 물결. 넓디넓은 바다.</small>
겠노라. 죽고 사는 일은 모두 하늘의 명에 달린 것이니, 속히 돌아가 다시는 부질없는 생각을 하지 말라고 용왕에게 전하여라. 나는 청산으로 돌아가노라."

하고는 소나무 우거진 숲속으로 자취를 감추어 버렸다.

이때, 별주부는 토끼가 간 곳을 바라보며 길게 탄식하여 가로되,

☆"충성이 부족해 간특한 토끼에게 속아 빈손으로 돌아가게 되었으니 무슨 면
<small>마음이 바르지 않고 악독한.</small>
목으로 용왕과 신하들을 대하리오? 차라리 이곳에서 죽는 것만 같지 못하도다."

하고 토끼에게 속은 사연을 바위에 붙이고 머리를 바위에 부딪쳐 죽었다.

★ 별별 포인트 ★

〈 등장인물의 인물됨 〉

용왕
자신을 위해 토끼가 희생하는 것이 당연하다고 생각함.
→ 권위적이고 이기적임.

토끼
간을 육지에 두고 왔다는 꾀를 내어 위기를 모면함.
→ 지혜롭고 능청스러움.

별주부
토끼에게 속은 것을 알고 자책하며 자결함.
→ 우직하고 충성스러움.

#4 핵심 태그
**#　　　　　**로 돌아와
별주부를 비웃고 사라진 토끼와
자결하는 별주부

작품 줄거리 요약하기

앞부분 줄거리

어느 날 북해 용왕은 우연히 병을 얻어 치료약을 찾던 중, 홀연히 도사가 나타나 토끼의 간이 특효약임을 알려 준다. 용왕은 기뻐하며 육지로 나갈 신하를 찾고, 별주부가 토끼를 데려오기 위해 육지로 올라간다. 토끼를 만난 별주부는 부귀영화를 누리게 해 주겠다고 토끼를 꼬드기고, 토끼는 별주부를 따라 용궁으로 간다.

제시 장면 줄거리

용왕은 토끼의 ① [ ] 을 꺼내 오라고 명령한다. 토끼는 꾀를 내어 육지에 간을 놔두고 왔다고 천연덕스럽게 거짓말을 하고, 처음에는 토끼를 의심하던 용왕도 결국 토끼의 꾀에 속아 넘어간다.

중략 부분 줄거리

그때 신하인 자가사리가 나서서 토끼의 말을 믿지 말라고 하지만 용왕은 그 말을 무시한다. 그리고 토끼를 위해 잔치를 베풀어 후하게 대접한다.

제시 장면 줄거리

토끼는 간을 가지고 오겠다며 ② [ ][ ][ ] 와 함께 용궁을 나선다. 육지로 올라온 토끼는 별주부를 비웃으며 자신의 말이 거짓임을 밝히고 사라진다. 토끼에게 속은 것을 안 별주부는 자책하며 자결한다.

뒷부분 줄거리

토끼에게 속은 사연과 별주부의 죽음을 알게 된 용왕은 잘못을 뉘우치고 죽음을 맞이한다.

01 이 글에 대한 설명으로 맞으면 ○표, 틀리면 ✕표를 하시오.

인물	토끼는 능청스럽고 꾀가 많다.	[ ]
사건	토끼와 별주부는 힘을 합쳐 용왕을 속인다.	[ ]
배경	육지와 바닷속 용궁을 오가며 사건이 전개된다.	[ ]
소재	토끼의 간은 높은 산, 깊은 바위틈에 있다.	[ ]

02 이 글에 대한 설명으로 적절하지 <u>않은</u> 것은?

① 시간의 흐름대로 사건이 일어난다.
② 비속어와 사투리를 통해 웃음을 유발한다.
③ 사람처럼 표현된 동물이 주인공으로 나온다.
④ 주인공을 누구로 보느냐에 따라 교훈이 달라진다.
⑤ 용궁이라는 비현실적인 공간에서 이야기가 전개된다.

03 이 글에 대한 이해로 적절한 것은?

① 용왕은 처음부터 토끼를 믿고 있었다.
② 토끼는 용왕의 병을 진심으로 걱정하고 낫기를 바랐다.
③ 별주부는 토끼가 용궁에서 도망칠 수 있도록 도와주었다.
④ 별주부는 용왕이 병을 얻은 것이 자신의 탓이라고 자책하였다.
⑤ 토끼는 부귀영화를 누리게 해 주겠다는 별주부의 말에 속아 용궁에 가게 되었다.

04 보기 의 설명에 해당하는 소재를 #1 에서 찾아 쓰시오.

> 보기
>
> 용왕이 자신의 병을 고치기 위한 약으로 쓰기 위해 토끼에게서 빼앗으려는 것으로, 토끼는 이것을 빼앗기면 목숨을 잃게 된다. 그러므로 이것은 사건이 진행되도록 하는 가장 중요한 소재가 된다.

_____

05 #1 ~ #2 에 나타난 갈등 양상으로 가장 적절한 것은?

① 토끼를 믿을지 말지 고민하는 용왕의 내적 갈등
② 토끼를 속이려는 용왕과 용왕을 의심하는 토끼의 갈등
③ 간을 빼앗으려는 용왕과 빼앗기지 않으려는 토끼의 갈등
④ 자신의 간을 용왕에게 바칠지 말지 고민하는 토끼의 내적 갈등
⑤ 토끼를 용궁으로 데려가려는 별주부와 이를 거부하는 토끼의 갈등

06 이 글을 읽고 '토끼'에게서 얻을 수 있는 교훈으로 가장 적절한 것은?

① 자신의 잘못을 끝까지 책임져야겠군.
② 남을 속이지 말고 정직하게 살아야겠군.
③ 가까운 사람의 잘못은 눈감아 주어야겠군.
④ 자신보다 약한 사람을 괴롭히지 말아야겠군.
⑤ 위기 상황에 처하더라도 당황하지 말고 지혜롭게 헤쳐 나가야겠군.

07 다음은 #2 에 제시된 '토끼'의 상황이다. 이를 나타낼 만한 한자 성어로 적절하지 않은 것은?

> 이때, 토끼는 용왕의 말을 듣고 난데없는 날벼락을 맞은 듯 정신이 아득해졌다.
> '부귀영화를 누리게 해 준다는 별주부의 발에 속아 가족과 고향을 버리고 이렇게 왔으니, 어찌 이런 재앙이 없을쏘냐? 이제는 날개가 있어도 능히 하늘로 날아가지 못할 것이요, 축지법을 쓸지라도 여기서 능히 벗어나지 못하리니 어찌하리오?'
> 토끼는 절망감에 빠져들었다.

① 사면초가(四面楚歌)
② 고립무원(孤立無援)
③ 각주구검(刻舟求劍)
④ 진퇴양난(進退兩難)
⑤ 진퇴유곡(進退維谷)

08 '용왕'과 '별주부'의 인물됨을 평가한 것으로 적절한 것은?

	용왕	별주부
①	어리석다.	현명하다.
②	지혜롭다.	우직하다.
③	사려 깊다.	고집이 세다.
④	이기적이다.	말주변이 좋다.
⑤	권위적이다.	충성심이 강하다.

8문제 중에

_____ 문제 맞혔어!

02
만복사저포기
김시습

인물 양생
공부만 하던 선비로 결혼을 못함.
부처와 내기를 하여
아름다운 여인과
인연을 맺게 됨.

인물 여인
귀족 집안의 딸.
전쟁 때 죽었으나
사람의 몸으로 양생
앞에 나타남.

소재 저포 놀이
양생이 부처님과 한
놀이로, 양생과 여인이
만나는 계기가 됨.

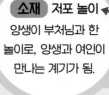

배경 전라도 남원의 사찰
사건 '양생'과 죽은 여인의 생사
를 초월한 사랑
만복사에서 양생과 죽은 여인이
처음 만나 인연을 맺고, 보련사에서
재회하였다가 이별함.

소재 은주발
여인의 무덤에 함께 묻은 물건.
여인의 부모에게 여인과 양생이
특별한 관계임을 알려 줌.

읽기 포인트 » 양생이 부처님과의 저포 놀이에서 이겨 만복사를 찾아온 여인을 만나 사랑을 이룬다. 여인은 과연 누구인지, '저포 놀이', '은주발' 등의 소재는 어떤 역할을 하는지 파악하며 읽어 보자.

#1 양생은 소매 속에서 저포를 꺼내 불상 앞에 던지며 이렇게 말했다.

나무로 만든 주사위로, 윷놀이의 윷과 비슷하다.

"제가 오늘 부처님과 ✄ 저포 놀이로 내기를 할까 하옵니다. 제가 진다면 법회를

불교의 가르침을 전하는 모임.

베풀어 부처님께 공양을 올리겠지만, 만약에 부처님께서 지신다면 아름다운

불교에서 음식이나 꽃을 바치는 일. 또는 그 음식.

배필을 구해 제 소원을 이루어 주십시오."

부부로서의 짝.

이렇게 기도를 하고는 저포 놀이를 시작하였다. 결과는 양생의 승리였다. 그러자

양생은 불상 앞에 꿇어앉아 이렇게 말했다.

"승부가 이미 정해졌으니, 절대로 약속을 어기시면 안 됩니다."

그러고는 불상 앞에 놓인 탁자 밑에 숨어 부처님이 어떻게 약속을 지킬지 기다려 보았다.

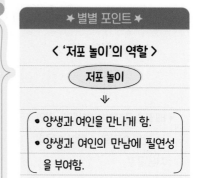

★ 별별 포인트 ★

< '저포 놀이'의 역할 >

저포 놀이

↓

- 양생과 여인을 만나게 함.
- 양생과 여인의 만남에 필연성을 부여함.

#1 핵심 태그

부처님과 **#** [   ] 놀이를

해서 이기는 양생

#2 이윽고 아리따운 여인 한 사람이 들어왔다. 나이는 열다섯이나 열여섯쯤 되어 보였다. 머리를 곱게 땋아 내렸고 화장을 엷게 했는데, 용모와 자태가 곱디고

사람의 맵시나 태도.

운 것이 마치 하늘의 선녀나 바다의 여신과도 같아 바라보고 있자니 위엄이 느껴졌다. 여인이 기름이 든 병을 들고 들어와 등잔에 기름을 부어 넣고 향로에 향을 꽂은 뒤 부처님 앞에 세 번 절하고 꿇어앉더니 한숨을 쉬며 이렇게 말했다.

"운명이 어쩌면 이리도 기박할까!" / 그러더니 품속에서 뭔가 글이 적힌 종이를

팔자나 운수가 사납고 복이 없을까.

꺼내어 탁자 앞에 바쳤다. 그 내용은 다음과 같았다.

'아무 고을 아무 땅에 사는 아무개가 아뢰옵니다. 지난날 변방의 방어에 실패한

나라의 경계가 되는 변두리의 땅.

탓에 왜구가 침략하였습니다. 창과 칼이 마구 날뛰고 위급을 알리는 봉화는 한 해 동안 계속 피어올랐습니다. 왜적들은 집에 불을 지르고 백성들을 사로잡고 재물을 빼앗으니 사람들이 이리저리로 달아나 가족이며 하인들도 모두 흩어져 버렸습니다. 소녀는 가냘픈 몸으로 멀리 달아나지 못하고 규방에 숨어 정절을 굳게 지키고 여인의 도리에 어긋나는 일은 하지 않은 채 무도한 재앙을 피할 수

말이나 행동이 사람의 도리에 어긋나서 막된.

있었습니다. 부모님께서도 여자가 절개 지키는 일을 옳게 여기셔서 외진 땅 외진 곳의 풀밭에 임시 거처할 곳을 마련해 주시어, 제가 그곳에 머문 지 이미 3년이 되었습니다. 바라옵나니 부처님이시여, 제 처지를 가엾게 여겨 주소서. 인간의 한평생은 이미 정해져 있으니, 기구한 운명일망정 인연이 있다면 하루빨리 만나

세상살이가 순탄하지 못하고 방해하는 것이 많은.

기쁨을 얻게 해 달라는 제 간절한 기도를 저버리지 말아 주소서.'

#2 핵심 태그

자신의 신세를 한탄하며 인연을 만나게 해 달라고 기도를 올리는 **#** [   ]

여인이 소원이 담긴 종이를 던지고 목메어 슬피 울었다. 이때 양생은 불상 밑에서 여인의 모습을 보고는 정을 억누르지 못하고 뛰쳐나가 이렇게 말했다.

"좀 전에 부처님께 글을 바친 건 무슨 일 때문입니까?"

양생이 여인이 올린 글을 읽어 보더니 얼굴에 기쁨이 가득한 채 이렇게 말했다.

"그대는 도대체 누구시기에 이 밤에 혼자서 여기까지 오셨소?"

여인이 대답했다.

"소녀 역시 사람입니다. 저를 의아한 눈으로 보지 마십시오. 당신은 다만 좋은 배필을 얻으려는 것이지요? 꼭 이름을 물으셔야 하겠습니까."

이때 만복사는 이미 허물어져 승려들은 구석진 방으로 옮겨 가 살고 있었다. 법당 앞에는 행랑만이 쓸쓸히 남아 있었고 그 끝에 좁은 <u>판자방</u> 하나가 있었다.
<small>대문 안에 죽 벌여 지은 방.</small>

양생이 여인을 불러 그곳으로 들어가니 여인은 별 주저함 없이 따라갔다. 서로 이야기를 나누며 즐기는 것이 보통 사람과 다름없었다.

이윽고 밤이 깊어지자 달이 동산에 떠올라 달그림자가 창살에 비쳤다. 문득 발자국 소리가 들렸다. 여인이 묻기를, / "누구냐? 시녀가 왔느냐?"

시녀가 말하기를,

"예, 접니다. 요즘 아가씨께서는 <u>중문</u> 밖을 나가지 않으셨고 뜰 안에서도 좀처럼
<small>가운데뜰로 들어가는 대문.</small>
걷지 않으셨습니다. 그런데 엊저녁에는 우연히 나가시더니 어찌 이 먼 곳까지 오셨습니까?"

라고 하였다. 이에 여인이 말하기를,

"오늘 일은 아마 우연이 아닌가 보다. 하늘이 도우시고 부처님이 돌보셔서 한 분 고운 임을 만나 <u>백년해로</u>하기로 했느니라. 부모님께 알리지 않은 것은 비록 예
<small>부부가 되어 평생 사이좋게 지내고 함께 늙음.</small>
에 어긋나는 일이지만, 서로 즐거이 맞이하게 되니 이 또한 평생의 기이한 인연일 것이다. 너는 집에 가서 앉을 자리와 술, 과일을 가져오너라."

시녀는 그 분부에 따라 돌아갔다. 이윽고 뜰에는 술자리가 베풀어졌는데, 밤은 이미 <u>사경</u>에 가까웠다.
<small>새벽 1시에서 3시 사이의 시간.</small>

시녀는 앉을 자리와 술상을 품위 있게 펼쳐 놓았는데, 기구들이 모두 <u>말쑥하며</u>
<small>지저분함이 없이 말끔하고 깨끗하며.</small>
무늬라고는 찾아볼 수 없었다. 술에서는 진한 향기가 풍겨 나왔는데 정녕 인간 세상의 것은 아니었다.

양생은 의심이 나고 괴이하게 생각하는 바도 있었다. 하지만 여인의 말씨와 웃음이 맑고 고우며 몸가짐과 용모가 얌전했으므로, 틀림없이 귀한 집 처녀가 몰래 나온 것이려니 생각하고는 더 의심치 않았다. 〈중략〉

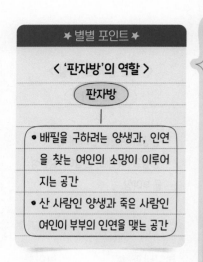

★ 별별 포인트 ★

< '판자방'의 역할 >

판자방
|
• 배필을 구하려는 양생과, 인연을 찾는 여인의 소망이 이루어지는 공간
• 산 사람인 양생과 죽은 사람인 여인이 부부의 인연을 맺는 공간

#4 잔치가 끝나자 작별하게 되었다. 여인이 ✦은주발 하나를 내어 양생에게 주며 말했다.

"내일 보련사에서 부모님께서 제게 음식을 내려 주십니다. 만약 저를 버리지 않으신다면, 길가에서 기다리고 계시다가 함께 절로 가셔서 부모님께 인사를 드려 주십시오." / "좋소."

이튿날 양생은 여인이 시킨 대로 주발을 쥐고 서서 보련사로 가는 길가에서 기다리고 있었다. 과연 어떤 귀족 집안에서 딸의 <u>대상</u>을 치르기 위해 수레와 말을 길게 이끌고 보련사를 찾아가고 있었다. 그때 길가에서 한 <u>서생</u>이 주발을 들고 서 있는 것을 본 그 댁 종이 주인에게 말했다.

> 사람이 죽은 지 2년 만에 지내는 제사.
> 유학을 공부하는 사람.

"아가씨와 함께 묻었던 물건을 어떤 사람이 훔쳐서 가지고 있습니다."

"뭐라고?"

"저 서생이 가지고 있는 주발을 보십시오."

주인은 말을 몰아 양생에게 다가가 그 <u>연유</u>를 물었다. 양생은 그 전날 여인과 약속한 일을 그대로 이야기했다. 여인의 부모는 놀라고 의아하게 생각하더니 이윽고 입을 열었다.

> 일의 까닭.

"내겐 딸만 하나 있었네. 그런데 그 아이는 왜구들의 난리 때 싸움의 와중에 죽고 말았지. 정식으로 장례도 치르지 못해서 개령사 옆에다 임시로 묻어 두고, <u>장사</u>를 미루어 오다가 오늘에 이르게 되었네. 오늘이 벌써 대상 날이라 <u>재</u>를 올려 명복이나 빌어 줄까 해서 가는 길일세. 자네가 약속을 지키려거든 내 딸을 기다리고 있다가 같이 오게. 그리고 조금도 놀라지 말게."

> 죽은 사람을 땅에 묻거나 화장하는 일.
> 죽은 이의 넋이 좋은 곳에 가도록 비는 법회.

말을 마치고 부모는 먼저 보련사로 떠나고, 양생은 우두커니 서서 기다리고 있었다. 약속한 시간이 되자 과연 한 여인이 시녀를 데리고 하늘거리며 왔다. 그 여인이었다. 그들은 서로 기뻐하며 손을 잡고 절 안으로 들어갔다.

여인은 부처님께 절을 올리고 하얀 휘장 안으로 들어가는데 친척들과 승려들은 모두 그녀를 보지 못하고 오직 양생만이 볼 수 있었다. 여인이 양생에게 말했다.

"<u>진지</u> 드시지요."

> '밥'의 높임말.

양생은 여인의 말을 그녀의 부모에게 전했다. 부모가 시험 삼아 함께 밥을 먹도록 명했더니 수저 놀리는 소리만이 들릴 뿐이었지만, 인간이 먹는 것과 조금도 다름이 없었다. 여인의 부모는 이에 <u>경탄해</u> 마지않더니, 양생에게 그곳에서 여인과 함께 머물도록 권했다. 밤중에 그들의 이야기 소리가 낭랑히 들렸지만 사람들이 가만히 엿들으려 하면 갑자기 중지되곤 했다.

> 몹시 놀라며 감탄해.

#4 핵심 태그
여인이 준 #⬜⬜⬜을 가지고 여인의 부모를 만나는 양생

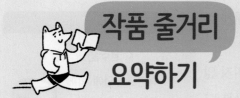

작품 줄거리 요약하기

앞부분 줄거리

전라도 남원에 양씨 성을 가진 서생이 있었다. 그는 일찍이 부모를 여의고 만복사라는 절에서 방 한 칸을 얻어 외롭게 살고 있었다.

제시 장면 줄거리

양생은 좋은 배필을 구해 달라는 소원을 걸고 부처님과 **1**[ ][ ] 놀이를 하여 이긴다. 양생이 불상 밑에 숨어 기다리자 아름다운 여인이 외로운 신세를 한탄하며 인연을 얻게 해 달라고 기원한다. 이를 지켜본 양생이 나타나 여인과 부부의 인연을 맺는다.

중략 부분 줄거리

날이 밝아오자 여인은 양생을 자신의 거처로 데리고 간다. 양생은 여인의 집에서 극진한 대접을 받으며 꿈 같은 시간을 보낸다.

제시 장면 줄거리

여인은 양생에게 이별을 고하며 **2**[ ][ ][ ] 하나를 주고 보련사로 가는 길목에서 다시 만날 것을 약속한다. 다음날 양생은 약속 장소에서 여인의 대상을 치르러 가는 여인의 부모를 만나 여인이 이미 죽은 사람임을 알게 된다. 양생은 여인을 다시 만나 보련사에서 하룻밤을 보낸다.

뒷부분 줄거리

여인이 저승으로 떠나자 양생은 여인을 위해 재를 올려 준다. 어느 날 밤 여인의 혼령이 나타나 자신이 환생했음을 알린다. 그 뒤 양생은 지리산에 들어가 약초를 캐며 혼자 살았는데, 그 이후의 소식은 아무도 알지 못했다.

---

01 이 글에 대한 설명으로 맞으면 ○표, 틀리면 ✕표를 하시오.

인물	양생은 죽은 사람이다.	[ ]
사건	양생은 부처님과 저포 놀이를 하여 이겼다.	[ ]
배경	여인은 보련사에서 살고 있다.	[ ]
소재	양생은 여인의 무덤에서 '은주발'을 훔쳤다.	[ ]

별별 포인트! ☆

02 '양생'이 부처님과 '저포 놀이'를 한 까닭으로 적절한 것은?

① 아름다운 배필을 구하고 싶어서
② 부처님께 공양을 올리고 싶어서
③ 허물어진 만복사를 다시 짓고 싶어서
④ 밤늦게까지 공부하다 잠시 쉬고 싶어서
⑤ 과거에 급제해 높은 벼슬에 오르고 싶어서

03 **#2**에서 '여인'이 쓴 글의 내용으로 보아, '여인'이 부처님께 하고 싶은 말로 가장 적절한 것은?

① '속세를 벗어나 절에서 살 수 있게 도와주십시오.'
② '전쟁으로 뿔뿔이 흩어진 가족들을 다시 만나게 해 주십시오.'
③ '기구한 저의 운명을 불쌍히 여기시어 인연을 만나게 해 주십시오.'
④ '왜구의 침입으로 나라가 어지러우니 어서 전쟁이 끝나게 해 주십시오.'
⑤ '외진 땅 외진 곳에 홀로 살고 있는 저의 처지를 부모님께 알려 주십시오.'

04 보기에서 <제1수>에 대한 설명으로 적절한 것을 골라 바르게 묶은 것은?

보기
> ㄱ. 화자의 자연 친화적인 태도가 드러난다.
> ㄴ. '다섯'은 물, 바위, 소나무, 대나무, 동산이다.
> ㄷ. 화자가 벗으로 여기는 대상을 소개하고 있다.
> ㄹ. '두어라'에는 현실에 대한 화자의 체념이 드러난다.

① ㄱ, ㄴ   ② ㄱ, ㄷ
③ ㄱ, ㄹ   ④ ㄴ, ㄷ
⑤ ㄴ, ㄹ

별별 포인트 ☆
05 <제3수>의 시어를 보기와 같이 정리할 때, ⓐ, ⓑ에 들어갈 말로 가장 적절한 것은?

보기

꽃, 풀	대조	바위
ⓐ	↔	ⓑ

	ⓐ	ⓑ
①	지속성	일시성
②	유연성	견고성
③	친밀성	순수성
④	안정성	위험성
⑤	순간성	영원성

06 ㉠~㉤ 중, 가리키는 대상이 나머지와 <u>다른</u> 것은?

① ㉠   ② ㉡   ③ ㉢
④ ㉣   ⑤ ㉤

07 <제6수>에서 설명하는 대상과 유사한 삶의 태도를 보이는 사람으로 적절한 것은?

① 학교에서 정한 규칙을 잘 지키는 '혜정'
② 친구의 실수를 너그럽게 감싸 주는 '민기'
③ 거짓말을 하지 않고 정직하게 사는 '소민'
④ 목표를 달성하기 위해 열심히 노력하는 '정민'
⑤ 주위 시선에 흔들리지 않고 자신의 뜻을 펼치는 '현아'

08 보기에서 밑줄 친 '자연물'에 해당하는 시어로 적절한 것은?

보기
> 이 시가에서 화자는 <u>다섯 가지 자연물</u>을 제시하고 그것들의 속성을 밝혀 자신이 지향하는 가치를 비유적으로 드러내었다.

① 잎   ② 물   ③ 바람
④ 나무   ⑤ 구름

09 이 시가를 읽은 후의 반응으로 가장 적절한 것은?

① 자연이 우리에게 주는 혜택에 감사해야 해.
② 자연을 통해 지난날의 잘못을 반성해야 해.
③ 자연과 인간은 조화를 이룰 때 가장 아름다워.
④ 자연물에서 인간이 갖추어야 할 덕목을 배울 수 있어.
⑤ 자연에도 인간 사회와 마찬가지로 지위가 있다는 점을 알아야 해.

9문제 중에
_____ 문제 맞혔어!

04

#가 **두꺼비 파리를** 작자 미상
#나 **개를 여남은이나** 작자 미상

고위 관리

탐관오리

백성

화자 두꺼비를 비판하는 사람

시어 파리, 두꺼비, 백송골

표현 동물에 빗대어 풍자함.
백성은 '파리'에, 지방 관리는 '두꺼비'에, 중앙의 고위 관리는 '백송골'에 비유하여 표현함.

화자 '임'이 오기를 기다리는 여인

시어 개

미운 임은 반기고 좋은 임은 내쫓는 개를 원망함으로써 임에 대한 원망을 간접적으로 표현함.

표현 흉내 내는 말 사용

흉내 내는 말을 풍부하게 사용하여 개의 행동을 구체적으로 묘사함.

#가 두꺼비 파리를 | 작자 미상

✵두꺼비 ✵파리를 물고 두엄 위에 치달아 앉아
풀, 짚, 가축의 배설물을 썩힌 거름.

건넛산 바라보니 백송골이 떠 있거늘 가슴이 섬

뜩하여 풀떡 뛰어 내닫다가 두엄 아래 자빠졌구나.

모쳐라 날랜 나일망정 어혈 질 뻔하여라.
'마침'의 옛말.　　　　　부상으로 살 속에 피가 맺힘.

#가 핵심 태그

파리를 물고 가다가
`#　　　　　`을 보고
깜짝 놀라 자빠진 두꺼비

★ 별별 포인트 ★

< 시어의 상징성 >

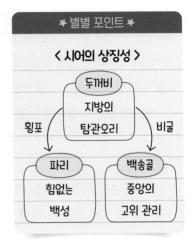

#나 개를 여남은이나 | 작자 미상

개를 여남은이나 기르되 요 개같이 얄미우랴.
열이 조금 넘는 수.

✵미운 임 오면은 꼬리를 홰홰 치며 치뛰락 나리

뛰락 반겨서 내닫고 ✵고운 임 오면은 뒷발을 버둥

버둥 무르락 나으락 캉캉 짖어서 돌아가게 한다.
물러섰다가 나아갔다가 하는 모양.

쉰밥이 그릇그릇 난들 너 먹일 줄이 있으랴.

#나 핵심 태그

미운 임 오면 반기고
고운 임 오면 짖는
얄미운 `#　　　`

★ 별별 포인트 ★

< 화자의 마음과는 반대로
행동하는 '개' >

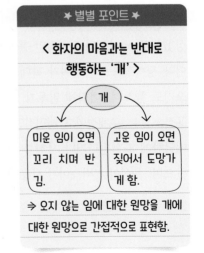

[01~07] 다음 글을 읽고 물음에 답하시오.

#가

두꺼비 파리를 물고 두엄 위에 치달아 앉아

건넛산 바라보니 백송골이 떠 있거늘 가슴이 섬뜩하여 풀떡 뛰어 내닫다가 두엄 아래 자빠졌구나.

㉠모쳐라 날랜 나일망정 어혈 질 뻔하여라.

#나

개를 여남은이나 기르되 요 개같이 얄미우랴.

미운 임 오면은 꼬리를 홰홰 치며 치뛰락 나리뛰락 반겨서 내닫고 고운 임 오면은 뒷발을 버둥버둥 무르락 나으락 캉캉 짖어서 돌아가게 한다.

쉰밥이 그릇그릇 난들 너 먹일 줄이 있으랴.

#다 [조선 시대의 사설시조]

조선 사회는 임진왜란과 병자호란을 겪으면서 급격하게 변화하기 시작하였다. 문학 역시 시가 문학에서 산문 문학이 중심이 되었으며, 작자층이 피지배 계층까지 확대되었다. 사설시조는 이러한 변화 속에서 등장했는데 평시조의 정형적인 틀에서 벗어난 것이 특징이다. 형식적으로는 길이가 확대되고 민요 가사가 들어오기도 했으며, 대화체 말투가 활용되기도 하였다. 내용적으로는 구체적이고 서민적인 소재를 통해 애정을 대담하게 표현한다거나 사회를 비판하는 내용이 들어왔으며, 욕설이나 비속어가 사용되는 경우도 있었다.

오엑스 확인 문제

01 **#가**와 **#나**에 대한 설명으로 맞으면 ○표, 틀리면 ✕표를 하시오.

화자 ┤ **#가**와 **#나**의 화자는 모두 동물이다. ☐

시어 ┤ **#나**의 화자는 고양이를 여러 마리 기르고 있다. ☐

표현 ┤ **#가**에는 두꺼비가 하는 말이 직접 나타나 있다. ☐

02 **#다**를 참고하여, **#가**와 **#나**를 이해한 내용으로 적절하지 **않은** 것은?

① **#가**와 **#나**는 대화체 말투를 활용하고 있다.
② **#가**와 **#나**는 둘 다 중장이 길어진 형태이다.
③ **#가**와 **#나**의 작자는 평민층으로 볼 수 있다.
④ **#가**와 **#나**에는 둘 다 일상적이고 평범한 소재가 등장한다.
⑤ **#가**는 남녀 간의 애정을 다루고 있고, **#나**는 사회 현실을 비판하는 내용이다.

별별 포인트
03 **보기**의 밑줄 친 설명에 해당하는 대상을 **#가**~**#나**에서 찾아 한 단어로 쓰시오.

보기
시에서는 화자의 정서를 간접적으로 제시할 수도 있고, 직접적으로 제시할 수도 있다. 정서를 간접적으로 드러내는 것은 매개를 통해 드러내는 것을 말하며, 직접적으로 드러내는 것은 어떤 매개도 없이 화자의 정서가 그대로 드러나는 경우를 말한다.

별별 포인트! ☆

04 보기의 ⓐ~ⓒ를 상징하는 시어를 #가에서 찾아 쓰시오.

> 보기
>
> 　조선 후기는 ⓐ지방 관리들의 부정부패가 심해진 시기였다. 이들은 ⓑ백성에게 높은 이자로 곡식을 빌려주거나 실제로 존재하지도 않는 땅에 세금을 매기는 방식으로 부당하게 이익을 챙겼다. 그러면서 ⓒ중앙의 고위 관리들에게는 높은 관직에 오르게 해 달라고 이를 뇌물로 바치기도 하였다.

	ⓐ	ⓑ	ⓒ
①	파리	두꺼비	백송골
②	파리	백송골	두꺼비
③	두꺼비	파리	백송골
④	두꺼비	백송골	파리
⑤	백송골	파리	두꺼비

05 보기에서 설명하는 시어를 #나에서 찾을 때, 적절하지 않은 것은?

> 보기
>
> 　개가 짖는 소리를 흉내 내는 의성어와 개의 행동을 흉내 내는 의태어를 효과적으로 사용하여 개의 행동을 현실감 있게 그려 내고 있는 시어이다. 이러한 표현들은 작품의 구체성을 높여 줄 뿐 아니라 해학적인 분위기를 형성하여 읽는 이의 웃음을 유발한다.

① 홰홰　　　　② 캉캉
③ 버둥버둥　　④ 그릇그릇
⑤ 치뛰락 나리뛰락

06 ㉠에 나타난 두꺼비의 태도를 평가한 말로 가장 적절한 것은?

① 두꺼비의 날렵함을 보니 자화자찬(自畵自讚)할 만해.
② 백송골의 권력을 빌려 호가호위(狐假虎威)하고 있군.
③ 파리를 놓아 주지 않더니 자승자박(自繩自縛)이지 뭐야.
④ 견물생심(見物生心)이라고, 한번 문 파리를 놓치기 싫었을 거야.
⑤ 깜짝 놀라 도망치다 넘어진 주제에 허장성세(虛張聲勢)를 부리는군.

07 보기를 참고할 때, #가와 #나에 대한 설명으로 적절하지 않은 것은?

> 보기
>
> 　풍자와 해학은 모두 인물이나 집단 등을 우스꽝스럽게 드러내어 웃음을 유발하는 방법이다. 풍자가 부정적인 대상의 결점이나 모순을 비판하기 위한 것이라면, 해학은 대상을 익살스럽게 표현하여 공감이나 동정을 하게 만든다.

① #가는 동물에 빗대어 대상을 풍자하고 있다.
② #가는 부정적인 대상을 우스꽝스럽게 그리고 있다.
③ #나는 얄미운 개의 행동을 해학적으로 표현하고 있다.
④ #나는 동물을 의인화하여 오지 않는 임을 비판하고 있다.
⑤ #나는 미운 개에게 밥을 먹이지 않겠다며 익살스럽게 표현하고 있다.

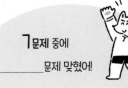

7문제 중에
＿＿＿＿문제 맞혔어!

05

규중 칠우 쟁론기 작자 미상

교두 각시

가위: 마름질할 때 옷감을 잘라 줌.

세요 각시

바늘: 옷을 뜨고 박기 위해 필요함.

척 부인

자: 마름질할 옷감의 길이와 너비를 재 줌.

청홍흑백 각시

실: 바늘과 함께 옷을 꿰맬 때 필요함.

인물 규중 부인 **소재** 규중 칠우
배경 규중 부인의 방 **사건** 규중 칠우의 대화

옷을 짓는 데에 쓰이는 일곱 가지 도구들이 모여 자신의 공이 제일 크다며 다툼. 사람의 공이라고 하는 규중 부인에 대해 불평하다가 결국 규중 부인에게 꾸지람을 들음.

울 낭자

다리미: 옷의 주름을 없애 줌.

인화 부인

인두: 바느질한 곳을 눌러 주어 바느질이 고와 보이게 만듦.

감투 할미

골무: 바느질할 때 손가락이 아프지 않게 해 줌.

읽기 포인트 » 바느질을 할 때 필요한 자, 가위, 바늘, 실, 골무, 인두, 다리미가 각각 자기 자랑을 하다가 인간에 대해 불평을 하고 있다. 각 바느질 도구들의 역할을 생각하며 읽어 보자.

#1 칠우가 모여 침선의 공을 의논하는데 �֎ 척 부인이 긴 허리를 재며 말했다.
<small>일곱 친구.</small>　　　<small>바늘에 실을 꿰어 옷을 짓거나 꿰매는 일.</small>

"여러 벗들은 들어라. 가는 명주, 굵은 명주, 흰 모시, 가는 베와 아름다운 비단을 다 내어 펼쳐 놓고 남녀의 옷을 마름질할 때, 길고 짧음과 넓고 좁음을 내가
<small>옷감을 치수에 맞게 재거나 자르는 일.</small>
아니면 어찌 재어 내겠는가? 이러므로 옷을 만드는 공은 내가 으뜸이다."

✖ 교두 각시가 두 다리를 빨리 놀려 뛰어나오며 말했다.

"척 부인아, 그대가 아무리 마름질을 잘한들 잰 옷감을 내가 잘라 내지 않으면 모양이 제대로 되겠느냐? 내 공과 내 덕이니 네 공만 자랑하지 마라."

✖ 세요 각시가 가는 허리를 구부리며 날랜 부리를 돌이켜 말했다.

"두 벗의 말은 옳지 않다. 진주가 열 그릇이라도 꿰어야 보배라 하는데, 재단을
<small>옷감을 치수에 맞게 재거나 자르는 일.</small>
잘해도 내가 없으면 옷을 어찌 만들겠는가? 나의 날램과 빠름이 있어야 옷을 잘게 뜨고 굵게 박을 수 있으니, 두 벗이 무슨 공을 자랑하느냐?
<small>실을 두 번 겹치게 얽어서 꿰맴.</small>

✖ 청홍흑백 각시 얼굴이 붉으락푸르락 화가 나서 말했다.

"세요야, 네 공이 내 공이다. 자랑하지 마라. 네가 아무리 잘난 척을 해도 한 솔기인들 반 솔기인들 내가 아니면 어찌 성공하겠느냐?"
<small>두 천을 맞대고 꿰맨 줄.</small>

✖ 감투 할미가 웃으며 말했다. / "각시님들, 자랑도 어지간히 하시오. 이 늙은이는 아가씨들 손가락 아프지 않게 바느질을 도와드리니, 옛말에 이르기를 '닭의 입이 될지언정 소의 뒤는 되지 마라.'라고 하였는데, 청홍흑백 각시는 세요의 뒤
<small>크고 훌륭한 자의 꽁무니보다는 보잘것없는 데에서라도 우두머리가 되는 것이 낫다는 뜻.</small>
나 따라다니면서 무슨 할 말이 있소? 얼굴이 아깝구나. 나는 늘 세요의 귀에 찔리지만 낯가죽이 두꺼워 견딜 만하니 아무 말도 하지 않노라."

✖ 인화 부인이 말했다. / "그대들은 다투지 말아라. 나도 내 공을 말하리라. 중누
<small>두 겹의 천 사이에 솜을 넣고 줄이 죽죽 지게 박는 바느질.</small>
비, 잔누비가 누구 덕에 젓가락같이 고우며, 혼솔이 내가 아니면 어찌 풀로 붙인
<small>홈질로 꿰맨 옷의 솔기.</small>
듯이 고우리오. 솜씨가 서툰 사람의 바느질도 내 손바닥으로 한 번 누르면 잘못한 흔적이 감추어지니 세요의 공은 나 때문에 광채가 나는 것이다."

✖ 울 낭자가 크나큰 입을 벌리고 너털웃음으로 말했다.

"인화야, 너와 나는 맡은 일이 같다. 그러나 인화는 바느질한 곳을 다릴 뿐이지만 나는 천만 가지 옷에 참여한다. 꾸깃꾸깃한 주름도 나의 넓은 볼기로 한 번
<small>뒤쪽 허리 아래, 허벅다리 위의 양쪽으로 살이 볼록한 부분.</small>
스치면 굵은 주름이 낱낱이 펴지며 모양이 고와진다. 내가 없다면 세상 남녀가 어찌 구김살 없이 고르고 반듯한 옷을 입으리오. 그러므로 내 공이 제일이다."

★ 별별 포인트 ★

< '바느질 도구'의 의인화 >

자	척 부인
가위	교두 각시
바늘	세요 각시
실	청홍흑백 각시
골무	감투 할미
인두	인화 부인
다리미	울 낭자

↓

바느질 도구의 생김새와 특징에 따라 각각 특색 있는 인물로 의인화함.

#1 핵심 태그

#　　　 , 교두 각시, 세요 각시, 청홍흑백 각시, 감투 할미, 인화 부인, 울 낭자의 자기 자랑

#2 규중 부인이 말했다. / "칠우의 공으로 옷을 짓기는 하나, 그 공은 사람이 쓰기에 달려 있으니 어찌 칠우의 공이라 하리오."

말을 마친 규중 부인이 잠이 깊이 드니, 척 부인이 탄식하며 말했다.

"매정한 것은 사람이고 공 모르는 것은 여자로다. 마름질할 때는 우리부터 찾지만 끝나고 나면 자기 공이라 하고, 게으른 종의 잠을 깨울 때는 나로 때리면서 내 허리 부러지는 것도 모르니 어찌 야속하고 화나지 않으리오."

교두 각시가 이어 말하였다. / "그대 말이 옳다. 옷감을 자를 때 잘 드니 안 드니 하며 두 다리를 잡아 흔들 때는 불쾌하고 화나는 것을 어찌 측량하리오."
<small>생각하여 헤아리리오.</small>

세요 각시도 한숨짓고 말하였다.

"나는 무슨 일로 사람 손에 보채이며 요악지성을 듣는가? 각골통한하며, 나의
<small>요망하고 간악한 소리.   뼈에 사무칠 만큼 원통하고 한스러우며.</small>
약한 허리 휘두르고 날랜 부리 돌려 힘껏 바느질을 돕는 줄은 모르고, 마음에 들지 않으면 나의 허리 부러뜨려 화로에 넣으니 어찌 원통하지 않으리오. 사람과는 극한 원수라, 앙갚음할 길이 없어 이따금 손톱 밑을 찔러 피가 나게 하면 조금 시원해지지만, 감투 할미가 밀어 내어 만류하니 더욱 애달프고 못 견디겠다."

인화 부인이 눈물지으며 말했다. / "그대도 아프다 어떻다 하는데, 대체 나는 무슨 죄로 뜨거운 불에 살이 지져지는 형벌을 받아야 하는지 서럽고 괴롭구나."

울 낭자 근심스럽게 말하기를, / "그대와 하는 일이 같고 욕되기는 마찬가지이다. 옷을 문지르느라 목을 잡아 몹시 흔들고 우겨 누르니, 황천이 덮치는 듯 심신
<small>사람이 죽은 뒤에 그 혼이 가서 산다고 하는 세상.</small>
이 아득하여 나의 목이 떨어지는 것 같은 때가 몇 번인지 알리오."

칠우가 이렇듯 서로 마음속에 품은 이야기를 주고받으니 ✣ 규중 부인이 문득 깨어나 칠우에게 말했다.

"칠우는 어찌 내 허물을 그토록 말하느냐?"

✣ 감투 할미가 머리를 조아리며 말했다.
<small>이마가 바닥에 닿을 정도로 머리를 자꾸 숙이며.</small>

"젊은 것들이 실수를 범했습니다. 저희들이 재주가 있으나 공이 많음을 자랑하느라 규중 부인을 원망하는 말을 했으니 곤장을 맞아야 마땅합니다. 다만, 평소 깊은 정과 저희의 조그만 공을 생각하여 용서해 주심이 옳을까 합니다."

여자가 답하였다.

"감투 할미 말을 따라 용서하겠다. 내 손가락이 성한 것이 할미 공이므로 꿰어 차고 다니며 은혜를 잊지 아니하리니. 비단 주머니를 만들어 그 속에 넣어 늘 곁에 지니고 다니겠다."

하니, 감투 할미는 머리를 조아려 인사를 하고 칠우는 부끄러워하며 물러났다.

★ 별별 포인트 ★

< 이 글의 주제 >

규중 칠우의 공치사와 인간에 대한 불평 토로

↓

• 공을 다투는 이기적인 세태에 대한 풍자
• 역할과 직분에 따른 성실한 직무 수행의 필요성 강조

#2 핵심 태그

#⬜⬜⬜⬜ 에 대한 불평으로 규중 부인에게 꾸중을 들은 칠우와 용서를 비는 감투 할미

오엑스 확인 문제

01 이 글에 대한 설명으로 맞으면 ○표, 틀리면 ×표를 하시오.

인물 | 문방사우(종이, 붓, 먹, 벼루)를 의인화하고 있다.

사건 | 칠우가 모여 서로 다른 이의 공을 칭찬한다.

배경 | 규중 부인의 방에서 일어나는 일이다.

소재 | 바느질에 쓰이는 일곱 가지 도구를 소재로 쓴 글이다.

별별 포인트!☆
02 '규중 칠우'와 바느질 도구의 연결이 적절하지 않은 것은?

① 척 부인 – 자
② 세요 각시 – 가위
③ 감투 할미 – 골무
④ 인화 부인 – 인두
⑤ 청홍흑백 각시 – 실

별별 포인트!☆
03 '칠우'가 자신의 공이 최고라고 자랑하는 근거로 적절하지 않은 것은?

① 감투 할미: 바느질할 때 여자들의 손을 보호한다.
② 세요 각시: 내가 옷감을 이어야 옷이 만들어진다.
③ 울 낭자: 내가 있어야 구김이 없는 옷을 입을 수 있다.
④ 교두 각시: 내가 옷감을 잘라 내야 옷의 모양이 제대로 이루어진다.
⑤ 인화 부인: 바느질에 재주가 없는 사람이 바느질을 잘할 수 있도록 도와준다.

04 이 글에 대한 설명으로 적절하지 않은 것은?

① 인물들의 주장을 차례로 나열하고 있다.
② 인물들의 생김새와 쓰임새를 묘사하고 있다.
③ 여성들의 일상생활과 밀접한 소재를 활용하고 있다.
④ 사물에 인격을 부여하여 대화 중심으로 내용을 전개하고 있다.
⑤ 새로운 인물의 등장으로 갈등이 해소되는 과정을 보여 주고 있다.

05 이 글을 이해한 내용으로 적절하지 않은 것은?

① '규중 부인'은 바느질을 돕는 일곱 가지 도구를 벗으로 삼았다.
② '규중 부인'은 의복을 만들 때 '칠우'보다 자신의 공이 더 크다고 생각한다.
③ '척 부인'은 '규중 부인'이 자신을 다른 용도로 사용하는 것에 대해 불만이 많다.
④ '세요 각시'는 자신의 허리를 부러뜨려 화로에 넣는 '사람'에 대하여 원한을 품고 있다.
⑤ '인화 부인'은 '울 낭자'와 하는 일이 같아도 자신이 더 많은 옷에 참여한다고 주장한다.

별별 포인트!☆
06 이 글에서 글쓴이가 풍자하고자 하는 것은?

① 지배층의 위선과 권위 의식
② 공치사만 일삼는 이기적인 세태
③ 물질적 가치만을 중시하는 태도
④ 집안일을 업신여기는 사회 분위기
⑤ 권세에 따라 왔다 갔다 하는 세상인심

6문제 중에
_____ 문제 맞혔어!

어휘로
마무리

01 다음 빈칸에 들어갈 알맞은 어휘를 고르시오.

> 미운 임 오면은 꼬리를 (1) [　　　] 치며 치뛰락 나리뛰락 반겨서 내닫고
> 고운 임 오면은 뒷발을 버둥버둥 무르락 나으락 (2) [　　　] 짖어서 돌아가
> 게 한다.

(1) (홰홰 , 졸졸 , 쿵쿵)　　　　　　(2) (탁탁 , 캉캉 , 살살)

02 다음 밑줄 친 어휘를 바꾸어 쓰기에 가장 적절한 것은?

> 사람과는 극한 원수라, 앙갚음할 길이 없어 이따금 손톱 밑을 찔러 피가 나게
> 하면 조금 시원해진다.

① 자주　　　　　　② 때로　　　　　　③ 흔히
④ 항상　　　　　　⑤ 빈번히

03 다음 빈칸에 들어갈 어휘로 가장 적절한 것은?

> 용왕은 간을 육지에 두고 왔다는 토끼의 말을 듣고 크게 노하여 꾸짖었다.
> "너야말로 진실로 [　　　] 놈이로다. 천지간에 어느 짐승이 간을 내고 들
> 일 수가 있단 말인가?"

① 간사한　　　　　　② 불쌍한　　　　　　③ 정직한
④ 현명한　　　　　　⑤ 어리석은

04 다음에 제시된 뜻과 초성을 보고 알맞은 어휘를 쓰시오.

(1)
| 부부로서의 짝. | ㅂ | ㅍ |

(2)
| 물과 돌을 아울러 이르는 말. | ㅅ | ㅅ |

한줌 Hint ✐★

(1)은 「만복사저포기」에서 양생의 소망과 관련된 것이고, (2)는 「오우가」에서 제시된 자연물 중 하나이다.

05 비슷하게 소리 나는 어휘 중, 문맥상 적절한 것을 고르시오.

(1) "좀 전에 부처님께 글을 ⎰바친 / 받친⎱ 건 무슨 일 때문입니까?"

(2) 인화는 바느질한 곳을 ⎰달일 / 다릴⎱ 뿐이지만 나는 천만 가지 옷에 참여한다.

(3) 양생이 여인이 올린 글을 읽어 보더니 얼굴에 기쁨이 가득한 ⎰채 / 체⎱ 말했다.

한줌 Hint ✐★

소리는 비슷하지만 뜻은 전혀 다른 어휘이다.

06 두 어휘의 의미 관계가 ⓐ : ⓑ의 관계와 다른 것은?

> "ⓐ길고 ⓑ짧음과 넓고 좁음을 내가 아니면 어찌 재어 내겠는가?"

① 춥다 – 덥다　　② 크다 – 많다　　③ 높다 – 낮다
④ 넓다 – 좁다　　⑤ 뜨겁다 – 차갑다

한줌 Hint ✐★

'길다 – 짧다'는 서로 반대의 뜻을 가진 어휘이다.

漢字 한자 성어

07 다음 여인의 말을 참고할 때, '백년해로'의 뜻으로 적절한 것은?

"오늘 일은 아마 우연이 아닌가 보다. 하늘이 도우시고 부처님이 돌보셔서 한 분 고운 임을 만나 <u>백년해로</u>하기로 했느니라. 부모님께 알리지 않은 것은 비록 예에 어긋나는 일이지만, 서로 즐거이 맞이하게 되니 이 또한 평생의 기이한 인연일 것이다. 너는 집에 가서 앉을 자리와 술, 과일을 가져오너라."

ㄱ 적의 사정과 나의 사정을 자세히 알다.
ㄴ 어려운 처지에 있는 사람끼리 서로 가엾게 여기다.
ㄷ 부부가 되어 한평생을 사이좋게 지내고 즐겁게 함께 늙다.

한줌 Hint ✎✱

여인의 말에서 평생의 기이한 인연이라는 말의 의미를 생각해 본다.

💬 속담

08 다음 장면에서 밑줄 친 속담과 바꾸어 쓸 수 있는 속담으로 적절한 것은?

한줌 Hint ✎✱

밑줄 친 속담은 '아무리 위급한 경우에 놓이더라도 정신만 똑똑히 차리면 위기를 벗어날 수 있다.'라는 뜻이다.

ㄱ 백지장도 맞들면 낫다
ㄴ 서당 개 삼 년에 풍월을 읊는다
ㄷ 하늘이 무너져도 솟아날 구멍이 있다

MEMO

MEMO

메모하는곳!

초등
수능
독해

문학
3

가이드북

 책 속의 가접 별책 (특허 제 0557442호)

'가이드북'은 본책에서 쉽게 분리할 수 있도록 제작되었으므로
유통 과정에서 분리될 수 있으나 파본이 아닌 정상제품입니다.

ABOVE IMAGINATION

우리는 남다른 상상과 혁신으로
교육 문화의 새로운 전형을 만들어
모든 이의 행복한 경험과 성장에 기여한다

초등

수능
독해

문학 3 │ 삼국 시대부터
조선 시대까지

가이드북

문학 ① 수록 작품

작품 이름	중등 교과서	고등 교과서	대학 수학 능력 시험	평가원 모의 평가	전국 연합 학력 평가
별별 인물					
01 유자소전 _ 이문구	○	○			○
02 장마 _ 윤흥길		○	○		○
03 자전거 도둑 _ 박완서	○	○			○
04 가난한 사랑 노래 _ 신경림	○	○	○		
05 괜찮아 _ 장영희	○				
별별 사건					
01 소음 공해 _ 오정희	○				
02 일용할 양식 _ 양귀자	○				○
03 노새 두 마리 _ 최일남	○				○
04 낙화 _ 이형기	○	○	○		
05 구두 _ 계용묵	○	○			○
별별 배경					
01 수난이대 _ 하근찬	○	○			○
02 광장 _ 최인훈		○	○	○	
03 꺼삐딴 리 _ 전광용		○		○	○
04 성북동 비둘기 _ 김광섭	○	○			○
05 추억에서 _ 박재삼		○	○	○	○
별별 소재					
01 흐르는 북 _ 최일남		○	○	○	
02 아홉 켤레의 구두로 남은 사내 _ 윤흥길		○	○		○
03 성탄제 _ 김종길	○	○		○	○
04 풀 _ 김수영	○	○			○
05 결혼 _ 이강백		○		○	

문학 ② 수록 작품

작품 이름	중등 교과서	고등 교과서	대학 수학 능력 시험	평가원 모의 평가	전국 연합 학력 평가
별별 인물					
01 사랑손님과 어머니 _ 주요섭	○	○			
02 삼대 _ 염상섭		○	○	○	○
03 쉽게 씌어진 시 _ 윤동주		○			○
04 나룻배와 행인 _ 한용운	○	○	○		
05 살아 있는 이중생 각하 _ 오영진		○	○		
별별 사건					
01 미스터 방 _ 채만식	○	○		○	
02 운수 좋은 날 _ 현진건	○	○			○
03 봄·봄 _ 김유정	○	○		○	
04 유리창 1 _ 정지용	○	○			○
05 고향 _ 백석	○	○	○		○
별별 배경					
01 메밀꽃 필 무렵 _ 이효석	○	○	○		
02 만세전 _ 염상섭	○	○		○	
03 태평천하 _ 채만식		○	○		
04 님의 침묵 _ 한용운		○	○		○
05 청포도 _ 이육사	○	○			○
별별 소재					
01 동백꽃 _ 김유정	○	○	○		
02 돌다리 _ 이태준	○	○	○		○
03 역마 _ 김동리		○		○	○
04 진달래꽃 _ 김소월	○	○	○		○
05 돌담에 속삭이는 햇발 _ 김영랑	○	○			

작품 이름	중등 교과서	고등 교과서	대학 수학 능력 시험	평가원 모의 평가	전국 연합 학력 평가
별별 인물					
01 유충렬전 _ 작자 미상		○	○	○	○
02 심청전 _ 작자 미상	○	○	○	○	
03 허생전 _ 박지원	○	○			○
04 동명왕 신화 _ 작자 미상	○	○			
05 (가) 동짓달 기나긴 _ 황진이	○	○			
(나) 묏버들 가려 _ 홍랑	○	○	○		
별별 사건					
01 사씨남정기 _ 김만중	○	○	○	○	○
02 운영전 _ 작자 미상	○	○	○	○	○
03 흥보가 _ 작자 미상	○	○	○	○	○
04 춘향전 _ 작자 미상	○	○	○	○	○
05 가시리 _ 작자 미상	○	○	○	○	○
별별 배경					
01 박씨전 _ 작자 미상	○	○	○	○	○
02 홍길동전 _ 허균	○	○	○	○	○
03 양반전 _ 박지원	○	○	○		○
04 (가) 하여가 _ 이방원	○	○			
(나) 단심가 _ 정몽주	○	○			
05 봉산 탈춤(제6과장 양반춤) _ 작자 미상	○	○	○		○
별별 소재					
01 토끼전 _ 작자 미상	○	○	○	○	○
02 만복사저포기 _ 김시습		○	○		
03 오우가 _ 윤선도	○	○	○		○
04 (가) 두꺼비 파리를 _ 작자 미상	○	○		○	○
(나) 개를 여남은이나 _ 작자 미상	○	○			
05 규중 칠우 쟁론기 _ 작자 미상	○	○			○

별별

인물

01 유충렬전 작자 미상

메인북 8~13쪽까지 정답이야!

#장면별 핵심 태그

#1

[# **천자**]가 정한담 일파에게 항복하려는 순간 유충렬이 나타나 적의 선봉장을 물리침

#2

[# **태자**]와 천자가 유충렬에게 나라를 위해 싸워 줄 것을 부탁하며 도원수로 임명함

#3

[# **(유)충렬**]의 비범함을 알아본 도사 진진이 말리는 데도 유충렬과 싸우다 죽는 마룡

문제 정답 및 해설

작품 줄거리 **1** 항복 **2** 천자

01
인물 ○
사건 ○
배경 ○
소재 ○

인물 천자는 군대를 지휘하는 깃발에 직접 유충렬에게 내린 벼슬을 적어 주고 있다.
사건 천자가 옥새와 항복을 인정하는 문서를 들고 정한담에게 항복하려는 순간 유충렬이 등장하여 적군을 물리친다.
배경 유충렬은 적장 정문걸, 최일귀, 마룡과 차례대로 싸우고 있다.
소재 적군의 도사 진진의 말에 따르면 유충렬의 투구와 갑옷 등은 용궁에서 만든 것이다.

02 ⑤

이 글에서 마룡은 유충렬의 능력을 알아보지 못하고 경솔하게 싸움에 나섰다가, 유충렬의 손에 죽고 만다.

03 ⑤

도사인 진진은 유충렬의 갑주 창검이 용궁에서 만든 것이고, 유충렬이 하늘의 신이며, 유충렬의 말이 하늘을 나는 용임을 알아보았기에 마룡이 유충렬과 싸우려는 것을 말리고 자신은 도망쳤다.
① 조정만은 명나라 천자를 모시고 있다. ② 태자는 적진에 잡혀갔다가 돌아왔다. ③ 최일귀는 유충렬과 싸운 뒤 정신을 잃었다. ④ 옥관 도사는 상대편인 유충렬의 전투 모습을 보고 놀라 군사를 후퇴시켰다.

04 ⑤

유충렬이 정문걸을 잡으러 올 때 유충렬의 큰소리에 하늘과 땅이 진동했다는 표현은 있으나, 유충렬이 도술을 부려 자연 현상을 일으킨 부분은 찾아볼 수 없다.

05 각설

'각설' 앞부분은 천자가 정한담에게 항복하려는 순간이고, '각설' 뒷부분은 이런 극적인 상황에서 유충렬이 나타나 천자를 구하는 이야기로 전환되고 있다.

06 ②

천자는 간신인 정한담의 말을 듣고 충신인 유심을 귀양 보내고, 나라가 위기에 빠졌음에도 항복하려고 하는 무능력하고 나약한 왕실의 모습을 보여 준다.

07 ②

도사 진진은 유충렬의 비범함을 알아보고 유충렬이 전쟁에서 이길 것임을 짐작한다. 진진 입장에서는 유충렬이 적이므로 '큰 재난'이라고 표현한 것이다.

08 ③

유충렬은 자신의 정체와 지금까지 살아온 상황을 설명하고 천자가 역적의 꾐에 빠져 자기 아버지를 귀양 보낸 것이 잘못된 일임을 지적하고 있다. 나라를 위해 충성하겠다는 다짐은 태자의 말을 듣고 난 후이다.

02 심청전 작자 미상

메인북 14~19쪽까지 정답이야!

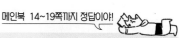

#장면별 핵심 태그

#1
뱃사람들과 떠나는 날
심 봉사의 [# 꿈]
이야기를 듣고 자신이 죽는
꿈이라 생각하는 심청

#2
심청이가 공양미 삼백 석을
받고 [# 인당수]에
제물로 팔려 가는 사실을
알게 된 심 봉사

#3
[# 황후]가 된
심청이를 맹인 잔치에서
만나고 눈을 뜨게 된 심 봉사

문제 정답 및 해설

작품 줄거리 ┃ 1 인당수 ┃ 2 맹인

01
인물 ○
사건 ○
배경 ✕
소재 ✕

인물 심청이는 아버지의 눈을 뜨게 하기 위하여 인당수에 빠져 죽을 것을 알면서도 팔려 간다.
사건 인당수에 팔려 갔던 심청이가 황후가 된 것에서 알 수 있다.
배경 황후가 된 심청이는 맹인 잔치를 열었고, 그곳에서 심 봉사를 우연히 만나게 되었다.
소재 뱃사람들은 심청이의 몸값으로 공양미 삼백 석을 주었다.

02 ④
심청이는 떠나는 날까지 아버지 심 봉사의 진짓상을 차리고 있을 정도로 아버지에 대한 효심이 깊은 인물이다. 이러한 심청이가 맹인인 아버지에게 집안일을 맡겼다고 보기는 어렵다.

03 ②
심청이가 가마를 타고 장 승상 댁에 가리라는 것은 심 봉사가 자신의 꿈을 해석한 내용일 뿐이다.

04 ②
심 봉사는 심청이가 제물이 된다는 사실을 안 뒤, 심청이에게 호소했다가, 뱃사람들을 원망했다가, 자신이 대신 제물이 되겠다고 한다. 따라서 심청이의 죽음을 운명으로 받아들였다고 보기 어렵다.

05 공양미 삼백 석
심청이는 아버지의 눈을 뜨게 하기 위해 인당수의 제물로 자신의 몸을 팔아서 공양미 삼백 석을 마련한다. 공양미 삼백 석은 심청이의 효심을 보여 주는 소재이다.

06 ②
#3의 심 봉사의 말에 따르면, 심 봉사는 집이 없이 이리저리 밥을 부쳐 먹고 다닌다고 하였다.
① 심 봉사는 심청이가 제물로 팔려 가는 것을 알면서 모르는 척한 것이 아니라 팔려 가는 날이 되어서야 알게 되었다. ③ 황후가 된 심청이는 아버지의 얼굴이 가물가물하여 이것저것 물어본 후에 아버지임을 알았다. ④ 심 봉사는 눈을 뜨지 못하고 자식만 잃었다고 하였다. ⑤ 뱃사람들은 심 봉사를 가엾이 여겨 쌀과 돈, 옷감 등을 챙겨 주었을 뿐이다.

07 ③
이 글은 마지막 부분에서 헤어졌던 부녀가 다시 만나고 심 봉사가 눈을 뜨는 행복한 결말을 보여 준다. 행복한 결말은 고전 소설의 특징 중 하나이다.

08 ①
심청이는 황후가 되었으므로 황제와 결혼했다는 것을 알 수 있다. 하지만 보기의 지은이는 왕에게서 쌀과 집을 받았다는 내용만 나와 있다.

03 허생전 박지원

메인북 20~25쪽까지 정답이야!

#장면별 핵심 태그

#1
아내의 질책으로 글읽기를 그만두고 변 씨에게 [# **만 냥**]을 빌리는 허생

#2
전국의 과일과 [# **말총**]을 모조리 사들여 큰돈을 번 허생

#3
[# **허생**]이 큰돈을 가지고 오자 허생을 따르기로 하는 도둑들

#4
도둑들을 데리고 빈 섬으로 들어가 조그만 [# **시험**]을 끝내는 허생

문제 정답 및 해설

작품 줄거리 **1** 말총 **2** 빈 섬

01
인물 ✕
사건 ○
배경 ○
소재 ✕

인물 허생은 서울에서 누가 가장 부자인지 사람들에게 물어서 변 씨를 찾아간 것이다.
사건 허생이 안성에서 과일을 모두 사들이는 바람에 온 나라가 잔치와 제사를 치르기 어렵게 되었다.
배경 '빈 섬'에서 허생은 살기 좋은 세상을 만들고자 했다.
소재 허생은 섬에서 기른 곡식을 장기도에 가서 팔아 백만 냥을 벌었다. '만 냥'은 허생이 변 씨에게 빌린 돈이다.

02 ⑤
변 씨의 자식과 손자들은 허생의 누추한 외모에도 선뜻 돈을 빌려 주는 변 씨에 대해 의아하게 생각하지만, 변 씨는 허생의 인물됨을 알아채고 이유도 묻지 않고 돈을 빌려준다.

03 ⑤
허생과 아내의 대화를 통해 장인바치나 장사꾼과 같은 상공업 계층은 양반 계층보다 낮은 신분임을 알 수 있다. 또한 당시 양반은 무능력했으며 신분 질서도 흔들리고 있었음을 알 수 있다.

04 ②
허생의 아내는 밤낮 글만 읽는 허생에게 장인바치 일이나 장사를 못 하면 도둑질이라도 못 하느냐며 화를 내고 있다. 도둑질은 윤리에 어긋나는 일이므로 그만큼 허생의 아내가 생활을 꾸려 나가기 힘들었음을 알려 준다.

05 빈 섬
허생은 매점매석하여(물건값이 오를 것을 예상하여 한꺼번에 사서 쌓아 두었다가 물건값이 오르면 팔아) 번 큰돈을 가지고 도둑들을 이끌고 '빈 섬'으로 들어가 이상적인 사회를 건설하고자 한다.

06 ②
허생은 현실은 생각하지 않고 이론과 관념으로만 세상을 바라보는 당시 집권 양반층을 비판하고 있다.

07 ③
허생은 빈 섬에서 경제적 기반을 닦은 후에 제도와 문물을 정비하여 이상 사회를 건설하는 것이 가능한가를 시험하였다. 하지만 땅이 좁고 덕이 엷어 이상 사회를 건설하기에는 한계가 있다는 것을 깨닫고 섬을 떠난다.

08 ④
칼, 호미, 포목 등을 가지고 간 곳은 빈 섬이 아니라 제주도이다. 빈 섬은 도둑들을 데리고 들어가 이상 사회 건설을 시험해 본 곳이다.

04 동명왕 신화
작자 미상

#장면별 핵심 태그

#1
유화가 햇빛을 받아 낳은
[# 알]에서 태어난
주몽

#2
주몽의 뛰어난 재주를
질투하는 [# 금와왕]의
일곱 아들

#3
물고기와 [# 자라]
들의 도움으로 강을 건너는
주몽 일행

#4
졸본주에 [# 고구려]를
세우고 후에 동명 성왕으로
불린 주몽

문제 정답 및 해설

01
인물 ✕
사건 ○
배경 ○
소재 ○

인물 유화는 천제가 아니라 물의 신인 하백의 딸이다.
사건 날마다 햇빛이 따라와 유화를 비추었으며 몇 달 뒤 유화는 알을 낳았다.
배경 주몽이 금와왕의 아들들을 피해 부여를 떠나고 있는 것에서 금와왕이 부여의 왕임을 알 수 있다.
소재 물고기와 자라 들은 주몽이 금와왕의 일곱 왕자들을 피해 강을 건너갈 수 있도록 다리를 만들어 주었다.

02 ④

이 글은 설화의 한 종류인 건국 신화로, 고주몽이라는 영웅적 인물이 고구려라는 나라를 세우게 된 과정이 드러난다. 설화는 입에서 입으로 전해져 내려오기에 작자가 누구인지 알 수 없고, 전승되는 과정에서 이야기가 덧붙여지거나 수정되기도 한다.

03 ③

주몽이 부여를 떠나 남쪽으로 향하게 된 것은 금와왕의 일곱 아들이 주몽을 질투하여 주몽을 죽이려고 했기 때문이다.
① 주몽은 부여가 아니라 훗날 남쪽으로 가서 나라를 세울 마음을 먹고 있었다. ② 주몽과 사슴 사냥을 나간 것은 금와왕의 일곱 아들들이다. ④ 주몽이라는 이름은 활을 잘 쏘아서 붙인 것이다. ⑤ 주몽에게 왕자들의 음모를 알려 준 사람은 어머니 유화이다.

04 A: 알
B: 고구려

'신이한 출생'에 해당하는 내용은 주몽이 어디서 태어났는지를 떠올려 보면 알 수 있다. 주몽은 사람이지만 알에서 태어났다. 한편 '위대한 업적'은 주몽이 이룩한 뛰어나고 훌륭한 일을 생각해 보면 알 수 있다. 주몽은 고구려를 세운 동명 성왕이다.

● 보기 ◉◉ 돋보기 ●
「동명왕 신화」는 영웅의 일대기의 구조를 잘 보여 주는 작품이며, 이러한 구조는 이후에 창작된 「홍길동전」, 「유충렬전」 등의 영웅 소설에서도 나타난다.

05 ④

'야윈 말'은 주몽이 마구간에서 가장 좋은 말을 골라 그 혀에 바늘을 찔러 두어 제대로 먹지 못해 야위게 된 것이다. 금와왕은 이 마른 말을 주몽에게 상으로 준다. 따라서 '야윈 말'은 좋은 말을 얻고자 한 주몽의 지혜로움을 보여 주는 것이지 동물과 대화할 수 있는 능력을 보여 주는 것이 아니다.

05 #가 동짓달 기나긴 황진이 / #나 묏버들 가려 홍랑

#장면별 핵심 태그

#가

[# 동짓달]의 긴 밤을 잘랐다가 임이 온 밤에 꺼내고 싶음

#나

임에 대한 사랑을 [# 묏버들]에 담아 임에게 보냄

문제 정답 및 해설

01

화자 ✕
시어 ◯
표현 ◯

화자 #가의 화자는 임과 떨어져 있으므로 임이 오기를 기다리고 있다.
시어 #가에서 '동짓달 기나긴 밤'은 임이 없어 더 길고 외롭게 느껴지는 시간이다.
표현 #나의 화자는 '묏버들'을 통해 자신의 사랑과 그리움, 자신을 잊지 말아 달라는 소망을 임에게 전달하고 있다.

02 ③

#다에서 황진이는 중종 때의 기생이고, 홍랑은 선조 때의 기생이라고 하였으므로 두 사람이 같은 시기에 활동했다고 볼 수 없다. 참고로 중종은 조선 제11대 왕, 선조는 조선 제14대 왕이다.

03 ①

시조는 4음보이므로 네 개의 단위로 끊어 읽을 수 있다.
② 춘풍 / 이불 안에 / 서리서리 / 넣었다가, ③ 정든 임 / 오신 날 밤이어든 / 굽이굽이 / 펴리라. ④ 묏버들 / 가려 꺾어 / 보내노라 / 임에게 ⑤ 주무시는 / 창밖에 / 심어 두고 / 보소서.

04 ⑤

#가는 '밤'이라는 추상적인 시간을 옷감처럼 잘라 접었다가 나중에 펼 것이라고 표현하고 있다. 이는 임이 없는 시간을 줄이고, 임과 함께하는 시간을 늘리고 싶은 화자의 심정을 보여 준다.

05 ④

#가에서 '동짓달 기나긴 밤'은 임이 없는 외로움에 춥고 길게 느껴지는 밤을 의미하고, 화자가 부정적으로 생각하는 시간이다. 이와 대조되는 시간은 '정든 임 오신 날 밤'이다.

06 묏버들

'묏버들'은 임을 그리워하는 화자의 분신으로, 임을 향한 사랑의 마음을 담은 정표이다. 화자는 임이 묏버들을 보며 자신을 기억해 주길 바라는 마음을 표현하고 있다.

07 ②

묏버들을 '나인가도 여기소서'라고 말한 것은 언제나 임을 생각하는 화자의 마음을 표현한 것이기도 하고, 비록 몸은 떨어져 있지만 새잎이 되어서라도 임의 곁에 있고 싶다는 화자의 소망을 담고 있는 것이기도 하다.

08 ③

#가와 #나의 화자는 임과 떨어져 있는 처지로, #가의 화자는 임이 오실 날을 기다리고 있지만 임이 언제 오겠다고 했는지는 알 수 없다.

메인북 34~36쪽까지 정답이야!

01

(1) ――――― ㉠
(2) ――――― ㉡
(3) ――――― ㉢

㉠ '굽이굽이'는 '여러 굽이로 구부러지는 모양.'을 나타내므로 강물이 흘러가는 모양을 표현하기에 적절하다. ㉡ '듬성듬성'은 '매우 드물고 성긴 모양.'을 나타내므로 머리카락이 드물게 나 있는 모양을 표현하기에 적절하다. ㉢ '너덜너덜'은 '여러 가닥이 자꾸 어지럽게 늘어져 흔들리는 모양.'을 나타내므로 허생의 허리띠 술이 풀려 있는 모습을 표현하기에 적절하다.

02 ①

'충렬'이라는 이름은 '충성스러운 열사(나라를 위하여 절의를 굳게 지키며 충성을 다하여 싸운 사람.)'라는 뜻이다. 제시된 부분은 태자가 유충렬에게 천자와 나라를 위해 싸워 주기를 부탁하는 장면이다. ① '충성'은 진정에서 우러나오는 정성. 특히, 임금이나 국가에 대한 것을 이른다. ② '효성'은 '마음을 다하여 부모를 섬기는 정성.'을 뜻한다. ③ '정성'은 '온갖 힘을 다하려는 참되고 성실한 마음.'을 뜻한다. ④ '지성'은 '지극한 정성.'을 뜻한다. ⑤ '감성'은 '자극이나 자극의 변화를 느끼는 성질.'을 뜻한다.

03

(1) 장인바치
(2) 눈엣가시

(1)과 (2)는 둘 다 어떠한 사람을 가리키는 말이다. (1)에서 '장인'은 '손으로 물건을 만드는 일을 직업으로 하는 사람.'을 가리키며, '장인바치'는 장인을 만만히 여기고 함부로 낮추어 대하는 말이다.
(2)는 '눈엣가시'는 [누네까시]나 [누넫까시]로 읽으며 보기 싫은 사람한테 쓰는 말이다.

04 ⑤

'죄다'는 '남김없이 모조리.'라는 뜻으로, '모두, 몽땅, 모조리, 남김없이'와 뜻이 비슷한 말이다. ⑤ '어김없이'는 '어기는 일이 없이, 틀림이 없이.'의 뜻이다.

05

(1) ㉠
(2) ㉢

우리말 어휘는 하나의 단어가 여러 개의 뜻을 가지고 있는 경우가 많다. 어휘의 뜻을 외우려 하기보다는 앞뒤 문맥을 보고 어떤 의미인지 유추할 수 있어야 한다.

06

(1) 밤비
(2) 새잎

(1) '밤'은 '해가 져서 어두워진 때부터 다음 날 해가 떠서 밝아지기 전까지의 동안.'을 이르고, '비'는 '대기 중의 수증기가 높은 곳에서 찬 공기를 만나 식어서 엉기어 땅 위로 떨어지는 물방울.'을 말한다. '밤비'에는 이러한 뜻이 그대로 담겨 있다.
(2) '새'는 '이미 있던 것이 아니라 처음 마련하거나 다시 생겨난.'을 뜻하고, '잎'은 '식물의 줄기의 끝이나 둘레에 붙어 있는 영양 기관.'을 말한다. '새잎' 역시 이러한 뜻이 그대로 담겨 있다.

07 ㉢

허생은 과일을 모조리 사들였다가 가격이 오르자 되파는 방법으로 큰돈을 벌었다. 이를 나타내는 한자 성어는 '매점매석'이다.
㉠ '다다익선'은 많으면 많을수록 좋은 것을 가리키는 상황에, ㉡ '일거양득'은 한 가지 일로 두 가지 이득을 얻는 상황에 쓰인다. '일거양득'과 비슷한 말로는 '일석이조'가 있다.

08 ㉠

심청이는 앞으로 자신 없이 혼자 살아가야 할 아버지에 대한 걱정과, 인당수에 빠져 곧 죽을 운명인 자신의 처지를 생각하며 슬퍼하고 있다. 그러므로 '간장이 썩다'의 뜻으로는 ㉠ '마음이 몹시 상하다.'가 적절하다.
㉡ '마음이 약하고 숫기가 없다.'는 '심장이 약하다'의 뜻이다. ㉢ '가슴이 조마조마하거나 흥분되다.'는 '심장이 뛰다'의 뜻이다.

별별 사건

01 사씨남정기 김만중

메인북 38~43쪽까지 정답이야!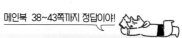

#장면별 핵심 태그

#1

[# 배]에서 사 씨와 재회하고 그동안 교 씨가 저지른 악행을 말하는 유 한림

#2

[# 동정호]에서 꿈 내용에 따라 유 한림을 구한 사 씨

#3

[# 동청]의 심복이 되어 악한 짓을 하는 냉진과 몰래 정을 통한 교 씨

#4

냉진의 배신으로 몰락하는 [# 동청]과 도둑을 맞아 알거지가 된 냉진과 교 씨

문제 정답 및 해설

작품 줄거리 **1** 배 **2** 마부

01
인물 ○
사건 ○
배경 ✕
소재 ✕

인물 사 씨는 유 한림의 정실 부인이고 교 씨는 유 한림의 첩이다.
사건 #3에서 동청과 교 씨는 자신들이 유 한림을 죽이기 위해 보낸 자객들에게서 유 한림이 사라졌다는 이야기를 들었다.
배경 헤어졌던 사 씨와 유 한림이 다시 만난 곳은 동정호 물가이다.
소재 설매가 사 씨의 옥가락지를 훔쳐 냉진에게 보냈다.

02 ⑤
설매는 차마 인아를 물속에 넣을 수 없어서 강가의 숲속 풀밭에 뉘어놓았다고 하였다.

03 ②
이 글에서는 등장인물들 간의 대화보다는 서술자의 직접적인 서술로 사건이 진행되고 있다.

04 ⑤
냉진은 동청의 손발이 되어 백성들의 재물을 빼앗고 포악한 짓을 저지른 자이다. 또 냉진이 동청을 고발한 것은 아첨을 하던 엄승이 잡혔으니 동청도 무사하지 못하리라고 생각했기 때문이다.

05 ④
동청과 교 씨는 유 한림이 다시 출세하면 자신들이 위태로워질 것을 염려하여 유 한림을 죽이려 한다. 동청 일당에게 쫓겨 강가로 도망친 유 한림은 시아버지의 말을 듣고 미리 배를 매어 둔 사 씨를 만나 목숨을 보전하게 된다.

06 선인: 묘혜 스님, 사 씨 / 악인: 동청, 교 씨, 냉진
이 글은 교 씨 일당의 모함으로 남쪽으로 도망갔던 사 씨가 다시 가정으로 돌아와 남편인 유 한림과 행복하게 산다는 이야기로, 선인과 악인의 대립이 뚜렷한 작품이다.

07 ②
유 한림은 동청 일당에게 쫓기다 우연히 배에 올라탔고, 여기에서 헤어졌던 사 씨와 다시 만나게 된 것이다.

08 ③
'권선징악'은 '착한 일을 권장하고 악한 일을 징계한다.'라는 뜻으로, 대부분의 고전 소설에서 나타나는 결말이다.
① '유구무언(有口無言)'은 변명할 말이 없거나 변명을 못함을 이르는 말이다. ② '개과천선(改過遷善)'은 지난날의 잘못이나 허물을 고쳐 올바르고 착하게 됨을 이르는 말이다. ④ '유유상종(類類相從)'은 같은 무리끼리 서로 사귐을 이르는 말이다. ⑤ '권토중래(捲土重來)'는 한 번 실패한 뒤에 힘을 가다듬어 다시 그 일에 착수함을 비유하여 이르는 말이다.

02 운영전 작자 미상

메인북 44~49쪽까지 정답이야!

#장면별 핵심 태그

#1

김 진사에게 운영과 도망가라고 하면서 운영의 재산을 빼돌리려 했던
[# 특]

#2

김 진사가 지은 시를 읊다가 한 시구에서 멈추고 의심스러워하는
[# 대군]

#3

운영이 김 진사와 함께 도망가려고 하자 이를 말리는
[# 자란]

문제 정답 및 해설

작품 줄거리 **1** 특 **2** 자란

01
인물 ○
사건 ✕
배경 ✕
소재 ○

인물 운영과 자란은 모두 안평대군을 모시는 궁녀이다.
사건 김 진사와 사랑에 빠진 사람은 운영이다.
배경 #3 에서 자란이 한 말을 보면, 운영의 거처가 남궁이 아니라 '서궁'임을 알 수 있다.
소재 이 글은 양반인 김 진사와 궁녀인 운영의 신분을 초월한 사랑 이야기이다.

02 ④
운영의 재산을 빼돌리려고 한 것은 특 혼자만의 계획이었다. #1 을 보면 특은 김 진사를 돕는 것처럼 보이나 사실은 김 진사를 죽이고 자신이 운영과 재산을 모두 가로채려는 마음을 품고 있다.

03 ⑤
자란은 운영의 얼굴이 쇠하면 운영에 대한 대군의 사랑도 줄어들게 될 것이고, 그러면 고향으로 돌아가도록 허락해 주지 않겠느냐며 운영을 설득하고 있다.

04 ⑤
내화는 운영과 김 진사가 자신들의 이야기를 자신들의 목소리를 통해 이야기하는 부분(1인칭 시점)으로, 운영과 김 진사의 사랑 이야기에 유영은 등장하지 않는다.

05 ①
운영과 김 진사의 비극적인 사랑 이야기를 들은 유영의 행적마저 알 수 없다는 결말은 운영과 김 진사의 사랑이 더욱더 비극적으로 느껴지게 한다.

06 ①
특은 겉으로는 김 진사를 위하는 척하고 있지만, 속으로는 김 진사를 배신하고 운영과 재산을 모두 차지하려 한다. 따라서 특은 겉과 속이 다른 사람임을 알 수 있다. 속마음과 다르게 말하거나 행동하는 것을 뜻하는 한자 성어는 '표리부동(表裏不同)'이다. 인물의 됨됨이나 인물이 처한 상황에 어울리는 한자 성어를 묻는 문제가 출제되기도 하니 한자 성어도 함께 알아 두면 도움이 된다.

07 ④
김 진사는 신분 상승을 위해 궁녀인 운영과 만난 것이 아니라, 운영을 사랑했기에 목숨을 걸고 운영을 만난 것이다.

▶ 보기 👓 돋보기
김 진사와 운영의 사랑이 비극적으로 끝날 수밖에 없었던 시대적 상황을 설명한 부분이다. 이 글의 운영은 궁녀라는 신분 때문에 김 진사와 자유롭게 사랑할 수 없었다.

03 흥보가
작자 미상

#장면별 핵심 태그

#1
[# 놀보]에게
구걸하러 갔다가
매만 맞고 쫓겨난 흥보

#2
가난과 굶주림에 지쳐
[# 박]을 타는 흥보

#3
흥보가 탄 박에서 불거진
[# 쌀]이 나오는
궤와 돈이 나오는 궤

#4
엄청난 양의 밥을 지은 흥보
가족과 [# 밥]을
꾸짖고 달래는 흥보

문제 정답 및 해설

작품 줄거리 **1** 놀보 **2** 궤

01
인물 ✕
사건 ○
배경 ○
소재 ✕

인물 놀보는 창고에 곡식과 돈이 가득하며 가축도 많이 기르고 있다.
사건 궁핍한 현실을 한탄하고 있는 흥보 마누라를 본 흥보는 굶주리는 가족들을 위해 박을 탄다.
배경 흥보 가족은 굶어 죽기 직전인데, 놀보는 닭에게 쌀 부스러기를 먹이로 주는 등 부자로 살고 있다.
소재 흥보네 가족이 탄 박에는 돈과 쌀이 들어 있어 부자가 된다.

02 ②
판소리 사설에서 사건은 주로 창자의 '아니리' 부분에서 전개되는데, 이때 사건을 요약하여 전달하기보다는 특정 장면을 반복이나 열거를 통해 길고 자세하게 묘사한다.

03 ④
흥보가 탄 박의 안이 비어 있는 것은 쌀 궤와 돈 궤가 든 신비한 박이었기 때문이다. 도둑이 박속을 긁어 갔다는 것은 박 안이 빈 것을 보고 흥보가 생각한 것이지 실제 일어난 일이 아니다.

04 ②
몇 날 며칠을 굶고도 채신머리없이 밥을 먹을 수가 없다고 하는 것에서 체면을 중시한다는 것을 알 수 있다.
① 자신의 가난한 처지를 해학적으로 표현하고 있다. ③ 궤에서 나온 쌀과 돈을 보고 좋아하고 있다. ④ 박에서 나온 궤를 보고 흥보는 버리려고 했지만 아내의 권유로 열어보았다. ⑤ 박에서 나온 쌀로 식구들과 함께 밥을 지어 먹고 있다.

05 ①
이 글에서 공간적 배경에 대한 자세한 묘사는 나오지 않는다. 배경 묘사가 자세할수록 사실성이 높아질 수는 있으나, 이를 웃음을 유발하는 요소로 보기는 어렵다.

06 ④
'박'에서 나온 쌀과 돈으로 흥보는 가난에서 벗어나게 된다. 이는 착하게 살아온 흥보가 착한 행동의 결과로 받은 보상(ㄴ)이자, 가난과 배고픔에서 벗어나고자 했던 당대 서민들의 바람(ㄹ)을 표현한 것이라고 할 수 있다.

07 ④
흥보가 밥에게 하소연하는 부분은 사물을 사람처럼 표현하는 의인화와, '캄캄', '멍멍'과 같은 의성어와 의태어를 통해 재미있게 표현된 장면이므로 쓸쓸한 배경 음악은 어울리지 않는다.

08 ⑤
흥보가 놀보에게 구걸하고 있지만 이는 놀보의 재산을 빼앗으려는 것이라기보다 굶주림에서 벗어나기 위한 것이라고 할 수 있다.

04 춘향전
작자 미상

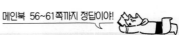
#장면별 핵심 태그

#1
정체를 숨긴 채
[#   시   ] 한 편을 지어 본관 사또를 비판하는 어사또 이몽룡

#2
암행어사로 출두하여 본관 사또인 변 사또를
[# 봉고파직]하는 어사또

#3
낭군 이몽룡이
[#   어사또   ]가 되어 앉아 있는 것을 보고 긴장이 풀리는 춘향

문제 정답 및 해설

작품 줄거리 **1** 시 **2** 암행어사

01
인물 ✕
사건 ○
배경 ○
소재 ✕

인물 어사또는 암행어사가 된 이몽룡을 의미한다.
사건 이몽룡은 암행어사가 되어 춘향이가 있는 곳으로 돌아온다.
배경 **#4** 에서 춘향이가 "남원읍에 가을 들어 낙엽처럼 질 줄 알았더니"라고 말하였다.
소재 '마패'는 암행어사인 이몽룡이 지니고 있다.

02 ④
어사또가 지은 시는 벼슬아치들의 화려한 생활과 백성들의 곤궁한 생활을 대조하여 백성들의 고통이 탐관오리의 가혹한 정치에서 비롯되었음을 비판하고 있다.

03 ②
암행어사 출두 장면에서 '달 같은 마패를 햇빛같이 번쩍 들고'라고 표현함으로써 마패를 달과 해에 비유하고 있다. 이는 탐관오리로부터 백성이 구원되고, 옥에 갇힌 춘향이가 구출될 것이라는 긍정적인 결말을 암시한다고 할 수 있다.

04 ②
어사또가 지은 시에 담긴 의미를 빠르게 알아차리고 사령을 불러 주변을 단속하는 것으로 보아 눈치가 빠른 사람이라는 것을 알 수 있다.

05 ②
'암행어사 출두'는 고조되어 가던 본관 사또의 생일잔치 분위기에 찬물을 끼얹고 사건 전개 방향을 탐관오리의 징계로 전환하는 극적인 반전의 역할을 한다.

06 ③
제시된 장면에서는 체면을 중시하는 지배 계층이 어사출두에 놀라 허둥대며 달아나는 모습을 희화화하여 표현하였다. 상식에 어긋나는 엉뚱한 물건을 들고 허둥대는 모습을 희화하고 단어의 위치를 바꾸는 언어유희를 활용하여 인물의 다급한 심리를 표현하고 있다.

07 ㉠ 춘향
㉡ 이몽룡(어사또)

춘향이의 말은 자신의 상황을 빗대어 표현한 것이다. '낙엽'은 변 사또로 인해 위기를 겪은 춘향이를, '가을'은 춘향이를 괴롭힌 변 사또의 횡포를, 가을을 몰아낸 '봄'은 암행어사 출두를, 낙엽을 살린 '오얏꽃'은 이몽룡을 의미한다.

08 ⑤
춘향이가 자신의 수청을 들라고 하는 어사또를 꾸짖는 것은 이몽룡에 대한 춘향이의 지고지순한 사랑과 굳은 절개를 보여 주는 행동이다.

02 홍길동전 허균

#장면별 핵심 태그

#1
[# 어머니]에게 집을 떠나겠다는 결심을 말하는 홍길동

#2
초란의 흉계로 찾아와 홍길동이 집안을 멸망시킬 것이라고 말하는
[# 관상녀]

#3
부인과 인형의 허락을 받고 자객 특재에게 홍길동을 죽이라고 하는
[# 초란]

#4
[# 특재]가 침입할 것을 점을 쳐서 알고 둔갑법을 써서 몸을 피하는 홍길동

문제 정답 및 해설

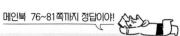
메인북 76~81쪽까지 정답이야!

작품 줄거리　　**1** 초란　　**2** 특재

01
인물 ○
사건 ×
배경 ○
소재 ○

인물 홍길동은 양반인 홍 판서와, 여종인 춘섬 사이에서 태어난 서자이다.
사건 자객을 시켜 홍길동을 죽이려고 한 사람은 초란이다.
배경 홍길동은 비범한 능력을 지녔지만 첩의 자식으로 신분이 천했기 때문에 신분제에 의해 차별을 받아 출세할 수 없었다.
소재 홍길동은 까마귀가 세 번 울고 가자 불길한 예감이 들어 둔갑술로 몸을 숨긴다.

02 ⑤
#1에서 홍길동이 집을 떠나겠다는 이유를 알 수 있다. 홍길동은 능력이 뛰어나지만 서자(첩의 아들)의 신분이라서 자신의 능력을 펼칠 수 없었다. 홍길동은 천한 신분으로 이름을 후세에 전한 장길산을 본받으려 한다고 하였다.

03 ④
초란이 무녀를 부른 것은 길동을 없애기 위한 흉계, 즉 홍길동을 없앨 방법을 의논하기 위해서이다.

04 길동(홍길동)
홍길동은 점을 쳐서 자객인 특재가 자기를 죽이러 왔다는 사실을 미리 알고 몸을 숨기고 있다가, 방 안이 산속으로 바뀐 것에 당황한 특재 앞에 나타나 왜 자신을 죽이려 하냐며 특재를 꾸짖는다.

05 ④
홍길동은 집을 나가려고 하지만 아버지(상공)가 정자에만 머물게 하며 엄격하게 감시하고 있기에 나가지 못한다. 아버지의 엄명을 어기지 못해 갈등하며 잠을 이루지 못하는 모습은 평범한 아들의 모습이라고 볼 수 있다.

06 ④
홍길동은 총명하고 재주도 뛰어났지만 첩의 아들인 서자였기에 천대를 받고 출세길도 막혔다. 이는 신분에 따라 벼슬을 하지 못하거나, 높은 벼슬에 오르는 데에 제한을 두었던 당시의 신분 차별 때문이다.

07 ②
길동이 왕이 될 모습이라는 말은 길동이 지금의 왕을 쫓아내고 나라를 배반한다는, 즉 역모를 일으킨다는 말이다. 조선 시대에 역모죄는 집안을 멸망시킬 정도로 큰 죄였으므로 상공이 근심하여 길동을 감시하였다.

08 ④
홍 판서는 홍길동을 죽이자는 초란의 제안을 물리쳤으나, 초란은 홍 판서가 병이 든 틈을 타 홍 판서의 부인과 그 아들인 인형에게 홍길동을 죽여도 좋다는 허락을 받아낸다.

03 양반전 박지원

메인북 82~87쪽까지 정답이야!
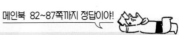

#장면별 핵심 태그

#1

부자가 양반에게 신분을 사자 이 사실을 [# 증서]로 만들어 주려는 군수

#2

[# 양반]이 지켜야 할 일이 적힌 첫 번째 양반 매매 증서를 작성하는 군수

#3

두 번째 양반 매매 증서에 적힌 양반의 특권을 듣고 양반 되기를 포기하는 [# 부자]

문제 정답 및 해설

작품 줄거리 **1** 양반 **2** 도둑놈

01

인물 ○
사건 ×
배경 ○
소재 ×

인물 이 글의 처음 부분에서 양반은 어질고 글 읽는 것을 좋아한다고 하였다.

사건 부자는 나라에서 꾼 곡식을 갚지 못하는 양반의 소식을 듣고 양반에게 직접 양반 신분을 산 것이다.

배경 부자가 양반이 빌린 곡식을 대신 갚아 주고 양반을 산 것에서 당시에 신분 매매가 가능하였음을 알 수 있다.

소재 군수는 마을 사람들과 관리들을 뜰에 불러 모은 후 양반 매매 증서를 작성하였다.

02 ⑤

양반이 나라에서 빌린 곡식을 갚지 못하자 관찰사가 양반을 잡아 가두라고 한다. 이처럼 양반이 빚을 갚지 못하면 관아에 잡혀갈 수는 있지만 신분 자체를 빼앗기는 것은 아니다.

03 양반의 아내

#1에서 양반의 아내는 양반이 평생 글을 읽어도 곡식을 갚는 데에는 아무 쓸모가 없다고 말하며 양반의 경제적인 무능력을 비판한다. 이는 양반에 대한 작가의 생각이 양반의 아내를 통해 표현된 것이다.

04 ④

당시에 양반은 가난해도 존경을 받았지만, 부자는 돈이 많아도 신분이 낮다는 이유로 천대를 받았다. 부자는 이런 수모를 받았기에 양반 신분을 사서 양반으로서의 권리를 누리고자 하였다.

05 ②

첫 번째 양반 매매 증서는 양반이 지켜야 할 덕목과 행실을 나열하여 양반의 의무를 강조하고 있다. 두 번째 양반 매매 증서는 양반이 누릴 수 있는 특권을 나열하여 양반의 권리를 강조하고 있다.

06 ⑤

부자는 두 번째 양반 매매 증서의 내용을 들으며 "나를 도둑놈으로 만들 작정이오?"라고 말한다. '도둑놈'은 양반의 특권에 대한 비판 의식이 집약된 표현이다.

07 ③

첫 번째 양반 매매 증서의 내용은 비천한 일은 하지 않으며, 새벽에 일어나 책을 읽으며 굶주림과 추위도 참는 등 작은 행동 하나하나에 예법을 지켜야 한다는 것이다. 이는 결국 양반의 위선적인 모습과 허례허식을 비판하는 것이다.

08 ④

두 번째 양반 매매 증서는 양반의 수탈과 횡포를 풍자하고 있다. 뜰에다 곡식을 쌓아 학을 기른다는 것은 굶주리는 백성은 멀리하고 자신의 즐거움만 찾는다는 것으로, 양반이 자연을 벗삼아 살겠다는 의미는 아니다.

#가 하여가 이방원 / **#나 단심가** 정몽주

/ 고전 시가 /

#가
만수산의 [# 드렁칡]
같이 우리도 함께 얽혀
한평생을 누리자고 함

#나
[# 백골]이 진토가
되어도 임을 향한 마음은
변하지 않음

문제 정답 및 해설

01
화자 ○
시어 ×
표현 ×
배경 ×

02 (1) 우리도
(2) 임 향한

03 ④

04 ①

05 ②

06 ③

07 ④

08 ③

화자 #가의 화자는 이방원이고, #나의 화자는 정몽주이다
시어 #나는 고려에 대한 변치 않는 충성심을 표현한 시조로, '임'은 고려 왕조를 뜻한다.
표현 #나는 화자의 생각을 직접적으로 표현하고 있다.
배경 #가와 #나 모두 고려 말기에 쓰인 시조이다.

음절은 말소리의 단위로 1음절이 한 글자라고 보면 된다. 종장은 시조의 마지막 줄이므로 마지막 줄 처음의 세 글자를 쓰면 된다.

#가는 새로운 왕조를 세우는 일에 동참하라고 회유하는 내용이고, #나는 고려를 향한 마음은 변하지 않는다며 #가의 회유를 따르지 않겠다는 의지를 보이고 있다.

#가의 화자가 '만수산 드렁칡'처럼 얽어지면 어떻겠냐고 하는 것으로 볼 때, '만수산 드렁칡'은 고려의 낡은 세력을 비유하는 것이 아니라 조선을 세울 새로운 세력을 의미한다.

#가는 '드렁칡'이라는 자연물에 빗대어 드렁칡이 얽혀 있는 것처럼 우리도 함께하자고 하며 상대방을 우회적으로 설득하고 있다. #나는 '임 향한 일편단심이야 가실 줄이 있으랴.'와 같은 설의적 표현을 통해 고려에 대한 충성심을 강조하고 있다.

㉠ '임'은 정몽주가 마음을 변치 않겠다고 결심한 대상으로, #다를 보면 정몽주가 섬기던 고려의 왕은 공양왕임을 알 수 있다.

#가는 상대를 잘 달래어 자신이 원하는 것을 하도록 설득하기 위한 것이므로 부드러운 목소리가 어울린다. #나는 이런 회유를 거절하는 것이므로 또박또박한 목소리로 단호하게 읽는 것이 좋다.

#가의 화자는 이방원이고, #나의 화자는 정몽주이다. 이들과 관련된 시대적 상황을 염두에 두고, 이방원이 주장하는 바가 무엇인지 생각해 본다. 이방원은 정몽주가 고려를 버리고, 새로운 왕조 건설에 협조해 줄 것을 바라고 있다.

05 봉산 탈춤 작자 미상

#장면별 핵심 태그

#1
[# 말뚝이]와
양반 삼 형제의 등장

#2
양반의 등장을 알리며 담배와
[# 훤화]를 금하라고
말하는 말뚝이

#3
엉터리로 [# 파자]
놀이를 하여 어리석음을
드러내는 생원과 서방

#4
생원에게서
[# 전령]을 받아
취발이를 잡아들이는 말뚝이

문제 정답 및 해설

01
인물 ○
사건 ×
배경 ○
소재 ×

인물 말뚝이는 마부로, 양반 삼 형제의 하인이다.
사건 말뚝이는 생원의 전령을 보여 주고 취발이를 잡아 온다.
배경 '봉산'은 황해도 봉산 지방을 말하는 것으로, '봉산 탈춤'은 이곳에서 행해진 탈춤을 가리킨다.
소재 '파자'는 한자를 구성하는 점과 획을 풀어서 맞히는 놀이인데, 생원과 서방은 한자가 아닌 한글 수수께끼를 하며 자랑스러워한다. 이를 통해 양반의 무식함을 강조하고 있다.

02 ⓐ 양반
ⓑ 말뚝이

이 글은 '양반의 위엄 → 말뚝이의 조롱 → 양반의 호통 → 말뚝이의 변명 → 양반의 안심'이라는 일정한 구조를 가진 재담(익살과 재치를 부리며 재미있게 이야기함. 또는 그런 말)이 반복되고 있다.

03 ①

말뚝이가 양반의 명령이 적힌 종이(전령) 하나로 힘이 세고 날랜 취발이를 잡아 오는 것에서 양반의 위세나 권위가 남아 있음을 알 수 있다.
②, ④ 취발이처럼 신분은 낮지만 많은 재산을 가진 상인 계층이 등장하고 양반들은 조롱당하는 것에서 엄격했던 신분 제도가 흔들리고 있음을 알 수 있다. ③, ⑤ 부정부패로 큰 재산을 모으는 일과, 범죄자를 뇌물을 받고 놓아 주자고 하는 것으로 보아 물질 만능주의가 만연하였음을 알 수 있다.

04 ②

이 글은 재담이 독립적인 내용으로 구성되어 있어 다른 장면으로 바뀌는 것이 자유롭다. 따라서 재담과 재담이 원인과 결과로 이루어진다고 볼 수 없다.
① #1에서 벙거지, 채찍, 창옷, 관 등의 차림새로 말뚝이와 양반들의 신분을 알 수 있다. ③, ⑤ 말뚝이가 관객들에게 '여보, 구경하시는 양반들'이라고 직접 말을 건네는 것으로 보아 무대와 객석이 뚜렷하게 구분되어 있지 않음을 알 수 있다. ④ 말뚝이는 '양반'이 개잘량이라는 '양' 자에 개다리소반이라는 '반' 자를 쓴다고 말하며 관객들의 웃음을 유발하고 있다.

05 ⑤

각 재담은 '쉬이'(ⓒ)라는 말로 시작해 '춤'(ⓙ)으로 마무리된다. 이때 인물들이 '춤'을 추면서 인물 간의 갈등이 일시적으로 해소된다.

메인북 96~98쪽까지 정답이야!

01
(1) ――― ㉠
(2) ――― ㉡
(3) ――― ㉢

㉠ '우왕좌왕'은 '이리저리 왔다 갔다 하며 일이나 나아가는 방향을 종잡지 못함.'을, ㉡ '탄복'은 '매우 감탄하여 마음으로 따르는 것.'을, ㉢ '탄식'은 '한탄하여 한숨을 쉼. 또는 그 한숨.'을 뜻한다.

05 ②

고전 소설에 나오는 '주문'은 '길흉화복을 예언하는 사람이나 점술에 정통한 사람이 술법을 부리거나 귀신을 쫓을 때 외는 글귀.'를 말한다. 주로 고전 소설 속 인물이 도술을 사용하는 장면에서 '주문'을 외운다.

02 ㉡

'흉계'는 말 그대로 '흉악한 계략.'을 뜻한다.
㉠ '계획을 세움. 또는 그 계획.'은 '설계'의 뜻이다. ㉢ '잘못한 일에 대하여 이리저리 돌려 말하는 구차한 변명.'은 '핑계'의 뜻이다.

06
(1) 푼
(2) 섬
(3) 자

(1) '푼'은 돈을 세는 단위로 스스로 적은 액수라고 여길 때 쓴다. 예전에 엽전을 세던 단위로 돈 한 닢을 이르기도 한다.
(2) '섬'은 부피의 단위로, 곡식, 가루, 액체의 부피를 잴 때 쓴다. 한 섬은 한 말의 열 배로 약 180리터에 해당한다.
(3) '자'는 길이의 단위로, 한 자는 한 치의 열 배로 약 30.3 cm에 해당한다.

03 ㉢

'거역하다'는 '윗사람의 뜻이나 지시 따위를 따르지 않고 거스르다.'라는 의미이다. ㉢ '어기다'도 '규칙, 명령, 약속, 시간 따위를 지키지 않고 거스르다.'의 의미이므로 바꾸어 쓰기에 적절하다.
㉠ '듣지'와 ㉡ '따르지'는 다른 사람의 말이나 의견을 받아들여 그렇게 한다는 의미로, '거역하지'와는 반대되는 뜻이므로 적절하지 않다.

07 ㉢

'일편단심(一片丹心)'은 '한 조각의 붉은 마음.'이라는 뜻으로, 진심에서 우러나오는 변하지 않는 마음을 뜻한다. ㉠, ㉡은 이러한 마음을 나타내는 것으로 일편단심을 뜻한다.
㉢ '마음과 마음이 서로 통함.'은 한자 성어 '이심전심(以心傳心)'의 뜻풀이이다.

04
(1) 넋
(2) 점잔

(1) '넋'은 '사람의 몸에 있으면서 몸을 거느리고 정신을 다스리는 비물질적인 것. 몸이 죽어도 영원히 남아 있다고 생각하는 초자연적인 것.'을 가리킨다.
(2) '점잔'은 '점잖은 태도.'를 나타내는 말이다. '점잖다'는 '언행이나 태도가 의젓하고 신중하다.' 또 '품격이 꽤 높고 고상하다.'를 뜻하는 말로 '점잖게', '점잖은'과 같은 형태로 쓰인다.

08 ㉢

'동에 번쩍 서에 번쩍'은 어디에서 떠나고 어디로 가는지 걷잡을 수 없을 만큼 왔다 갔다 하는 것을 말하므로, 홍길동이 이곳저곳에서 나타나는 모습을 비유하기에 적절하다.
㉠ '뛰어야 벼룩'은 도망쳐도 크게 벗어날 수 없음을, ㉡ '다 된 죽에 코 풀기'는 거의 다 된 일을 망쳐 버리는 행동을 나타낸다.

별별

소재

01 토끼전

작자 미상

메인북 100~105쪽까지 정답이야!

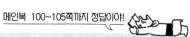

#장면별 핵심 태그

#1
[# 토끼]의 간을 꺼내 오라고 명령하는 용왕

#2
꾀를 내어 [# 간]을 육지에 두고 왔다고 용왕에게 거짓말하는 토끼

#3
토끼의 꾀에 속아 토끼를 [# 토 선생]이라고 부르며 위로하는 용왕

#4
[# 육지]로 돌아와 별주부를 비웃고 사라진 토끼와 자결하는 별주부

문제 정답 및 해설

작품 줄거리 **1** 간 **2** 별주부

01
인물 ○
사건 ✕
배경 ○
소재 ✕

인물 토끼는 간을 빼앗기지 않으려고 꾀를 내어 용왕을 속인다.
사건 별주부는 토끼를 속여 용궁으로 데리고 온 인물이다.
배경 별주부가 토끼를 육지에서 용궁으로 데리고 왔다가 다시 육지로 데려다준다.
소재 높은 산, 깊은 바위틈은 토끼가 간을 숨겨 두었다고 거짓말한 곳이다.

02 ②
이 글에 비속어나 사투리는 사용되지 않았다. 오히려 등장인물들은 문어투의 고상한 말씨를 쓰고 있고, 토끼는 고사성어까지 사용하고 있다.

03 ⑤
#2 에서 토끼가 부귀영화를 누리게 해 주겠다는 별주부의 꼬임에 넘어가 가족과 고향을 버리고 용궁에 왔음을 알 수 있다.

04 (토끼의) 간
'토끼의 간'은 용왕의 병을 치료하는 약으로, 이 글은 토끼에게서 간을 빼앗으려는 용왕과 용왕에게 자신의 간을 빼앗기지 않으려는 토끼 사이의 갈등을 중심으로 사건이 전개되고 있다.

05 ③
용왕은 자신의 병을 고치기 위해 토끼를 죽여 간을 얻으려 하고 있고, 토끼는 살기 위하여 간을 육지에 두고 왔다며 거짓말하고 있다.

06 ⑤
토끼는 죽음을 앞둔 위기 상황에서도 당황하지 않고 침착하게 살아날 방법과 꾀를 생각해 냈다. 이러한 토끼의 모습을 통해 위기를 극복하는 지혜를 가지자는 교훈을 얻을 수 있다.

07 ③
바닷속 용궁에 잡혀 있는 신세인 토끼는 육지 동물로, 용궁에 올 때에도 별주부에게 업혀 왔으므로 혼자서는 도망갈 방법이 없다. '각주구검'은 '융통성 없이 현실에 맞지 않는 낡은 생각을 고집하는 어리석음을 이르는 말.'로 토끼의 상황과는 어울리지 않는다.
① 사면초가: 아무에게도 도움을 받지 못하는, 외롭고 곤란한 지경에 빠진 형편을 이르는 말. ② 고립무원: 고립되어 구원을 받을 데가 없음. ④ 진퇴양난: 이러지도 저러지도 못하는 어려운 처지. ⑤ 진퇴유곡: 이러지도 저러지도 못하고 꼼짝할 수 없는 궁지.

08 ⑤
용왕은 권력과 지위를 내세우고, 자신의 병을 치료하기 위해 토끼가 희생하는 것을 당연히 여기는 권위적이고 이기적인 인물이다. 한편 별주부는 토끼가 도망가자 자신의 충성심이 부족했다고 자책하며 자결하므로 우직하고 충성심이 강한 성격이다.

02 만복사저포기 김시습

메인북 106~111쪽까지 정답이야!

#장면별 핵심 태그

#1
부처님과 [# 저포]
놀이를 해서 이기는 양생

#2
자신의 신세를 한탄하며
인연을 만나게 해 달라고
기도를 올리는
[# 여인]

#3
행랑 끝 [# 판자방]에서
인연을 맺는 양생과 여인

#4
여인이 준 [# 은주발]을
가지고 여인의 부모를 만나는
양생

문제 정답 및 해설

작품 줄거리 **1** 저포 **2** 은주발

01
인물 ✕
사건 ○
배경 ✕
소재 ✕

인물 양생은 산 사람이고, 여인이 죽은 사람이다.
사건 양생은 부처님과의 저포 놀이에서 이기고 부처님께 배필을 만나게 해 달라고 빈다.
배경 보련사는 양생과 여인이 다시 만나는 공간이다. 여인은 '외진 땅 외진 곳의 풀밭(=무덤)'에 머문다고 하였다.
소재 '은주발'은 여인의 무덤에 묻힌 것으로, 여인의 부모가 양생의 말을 믿게 하기 위해 여인이 양생에게 준 것이다.

02 ①
양생은 불상 앞에 저포를 던지며 자신이 지면 부처님께 공양을 올릴 테니, 자신이 이기면 자신에게 아름다운 배필을 구해 달라고 한다.

03 ③
여인은 자신의 기구한 생애를 정리한 글을 부처에게 바치는데, 그 내용은 부처가 자신의 처지를 불쌍히 여긴다면 인연을 빨리 만나게 해 달라는 것이다.

04 ③
양생이 만난 여인의 부모가 귀족 집안이므로 여인이 귀족 집안의 딸임을 알 수 있으며, 여인의 부모가 대상을 치르러 간다고 한 점에서 여인이 죽은 지 이미 몇 년이 지났음을 알 수 있다.

05 ③
양생은 여인에게서 은주발 하나를 받아 들고 보련사로 가는 길가에서 기다리다가 여인의 부모를 만났다.

06 ④
'판자방'은 양생이 여인과 인연을 맺고 즐거움을 나누는 공간이고, '하얀 휘장 안'은 재회한 양생과 여인이 식사를 하는 공간으로, 여인의 부모에게 여인과 양생의 인연을 인정받는 공간이다.

07 ⑤
양생은 부처님과의 '저포 놀이'에서 이겨 인연을 만나게 되었으므로 저포 놀이는 양생과 여인의 만남에 필연성을 부여해 주는 역할을 하는 소재이다. 또 여인이 준 '은주발'은 여인의 부모가 양생의 말을 믿게 하는 역할을 하는 소재이다.

08 ④
여인과의 술자리에서 양생은 여인이 가져온 술을 보며 여인을 의심하고 괴이하게 생각하기는 하였으나, 여인의 몸가짐과 옷차림을 보고 귀한 집 처녀라고 생각하고는 더 이상 의심하지 않았다.

03 오우가
윤선도

메인북 112~115쪽까지 정답이야!

#장면별 핵심 태그

#1
다섯 [# 벗]에 대한 소개

#2
깨끗하고 그치지 않으며 흐르는 [# 물]

#3
변하지 않는 [# 바위]

#4
뿌리가 곧아 눈서리를 모르는 [# 소나무]

#5
곧고 속이 비었으며 항상 푸른 [# 대나무]

#6
세상을 밝게 비추고, 보고도 말 없는 [# 달]

문제 정답 및 해설

01
화자 ◯
시어 ✕
표현 ◯

화자 화자는 '물, 바위, 소나무, 대나무, 달'을 벗이라고 칭하며 그들의 특성을 예찬하고 있다.
시어 '잎'은 추우면 쉽게 지는 속성을 지닌 자연물로 화자가 추구하는 삶의 자세와 거리가 멀다.
표현 곧고 속이 빈 대나무의 외형을 질문하듯이 표현하고 있다.

02 ①
화자는 '물, 바위, 소나무, 대나무, 달'이 지니고 있는 속성을 의인법, 문답법, 설의법 등을 활용하여 예찬하고 있다. 이 시가는 화자가 '벗'으로 생각하는 자연물을 나열하듯 전개하고 있을 뿐, 계절의 변화에 따라 시상을 전개하지는 않는다.

03 ②
〈제2수〉에서 바람은 소리가 맑지만 그칠 적이 많다고 하였다. '바람'은 깨끗하고도 변하지 않는 '물'과 대조되는 소재로 가변성을 상징한다.

04 ②
화자는 '물, 바위, 소나무, 대나무, 달'을 자신의 벗으로 소개하며 자연 친화적인 태도를 보이고 있다.

05 ⑤
'바위'는 시간이 지나도 변하지 않는 영원성을 지닌 대상이고, 이와 반대로 '꽃'과 '풀'은 쉽게 지고 색이 변하므로 순간적 속성을 지닌 대상이다. 화자는 '꽃, 풀'과 대조하여 바위의 영원성을 강조하고 있다.

06 ③
㉠, ㉡, ㉣, ㉤은 모두 달을 가리킨다. ㉢ '만물'은 '세상에 있는 모든 것.'이라는 뜻으로 달이 비추는 것을 말한다.

07 ②
〈제6수〉에서는 '달'의 포용성과 과묵함을 예찬하고 있다. 이와 유사한 삶의 태도를 보이는 사람은, 친구의 실수를 너그럽게 감싸 주는 포용성을 지닌 '민기'이다.

08 ②
화자가 지향하는 가치를 비유하는 자연물은 '물, 바위, 소나무, 대나무, 달'이다. 화자는 다섯 자연물의 속성을 제시하며 예찬하고 있다.

09 ④
이 시가는 자연물이 지니고 있는 속성을 예찬함으로써 인간이 지켜야 할 삶의 도리와 바람직한 가치에 대해 밝히고 있다.

04 #가 두꺼비 파리를 작자 미상 / #나 개를 여남은이나 작자 미상

/ 고전 시가 /

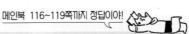
#장면별 핵심 태그

#가
파리를 물고 가다가
[# 백송골]을 보고
깜짝 놀라 자빠진 두꺼비

#나
미운 임 오면 반기고
고운 임 오면 짖는 얄미운
[# 개]

문제 정답 및 해설

01
화자 ✕
시어 ✕
표현 ○

화자 #가의 화자는 두꺼비를 비판하는 사람이다. #나의 화자는 임을 기다리는 여인이다.
시어 여인은 개를 열 마리 넘게 기르고 있다.
표현 #가의 종장은 두꺼비가 직접 하는 말이다.

02 ⑤

#가는 사회 현실을 비판하는 내용이고, #나가 남녀 간의 애정을 다룬 내용이다. 이처럼 설명 내용은 맞지만, 설명 대상이나 기호를 바꾸는 경우에 유의해야 한다.

03 개

#나에서는 화자가 임을 원망하는 마음을 '개'라는 매개를 통해 표현하고 있다. 자신이 미워하는 임이 오면 꼬리를 치며 반기고, 자신이 좋아하는 임이 오면 짖어서 돌아가게 한다며 화자는 애꿎은 개를 얄미워하고 있기 때문이다.

04 ③

두꺼비는 강자인 백송골에게는 꼼짝 못하면서 약자인 파리를 괴롭히는 동물이다. 이로 보아 '두꺼비'는 지방의 관리를, '파리'는 힘없는 백성을, '백송골'은 중앙의 고위 관리를 상징한다고 볼 수 있다.

05 ④

'캉캉'은 개가 짖는 소리를 흉내 내는 말(의성어)이고, 나머지는 개의 행동을 흉내 내는 말(의태어)이다. '그릇그릇'은 쉰밥이 여러 그릇에 담겨 있을 정도로 양이 많음을 표현한 말로, 개의 행동을 묘사한 말은 아니다.

06 ⑤

'허장성세(虛張聲勢)'는 '실속은 없으면서 큰소리치거나 허세를 부림.'을 이르는 말이다. 두꺼비는 백송골을 보고 놀라 자빠졌으면서도 자기가 날래서 다치지는 않았다며 큰소리를 치고 있다.
① '자화자찬'은 자기가 그린 그림을 스스로 칭찬한다는 뜻으로, 자기가 한 일을 스스로 자랑하는 말이다. ② '호가호위'는 남의 권세를 빌려 위세를 부린다는 말이다. ③ '자승자박'은 자기가 한 말과 행동에 자기 자신이 옭혀 곤란하게 됨을 비유적으로 이르는 말이다. ④ '견물생심'은 어떠한 실물을 보게 되면 그것을 가지고 싶은 욕심이 생긴다는 말이다.

07 ④

#나의 임은 기다려도 오지 않는 대상으로, 비판이나 풍자의 대상이 아니라 원망의 대상이다. 또한 동물을 의인화한 것은 #나가 아니라 #가이다.

05 규중 칠우 쟁론기 작자 미상

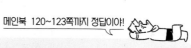

메인북 120~123쪽까지 정답이야!

#장면별 핵심 태그

#1

[# 척 부인], 교두 각시, 세요 각시, 청홍흑백 각시, 감투 할미, 인화 부인, 울 낭자의 자기 자랑

#2

[# 규중 부인]에 대한 불평으로 규중 부인에게 꾸중을 들은 칠우와 용서를 비는 감투 할미

문제 정답 및 해설

01

인물 ✕
사건 ✕
배경 ○
소재 ○

인물 바느질 도구를 의인화한 규중 칠우가 각자 자기 주장을 펼치고 있다.
사건 규중 칠우는 서로의 공이 가장 크다며 자기 자랑을 늘어놓고 동시에 남의 공을 낮추고 있다.
배경 이 글은 규중 부인의 방에서 일어난 일을 쓴 수필이다.
소재 자, 가위, 바늘, 실, 골무, 인두, 다리미 등의 바느질 도구가 이 글의 주요 소재이며 이 도구들이 마치 사람처럼 말하고 행동한다.

02 ②

세요 각시는 옷감을 뜨고 박아 바느질하는 바늘이다. 교두 각시는 가위, 울 낭자는 다리미이다.

03 ⑤

'인화 부인'은 바느질에 재주가 없는 자가 바느질을 잘못한 흔적을 감추어 준다고 했을 뿐, 바느질에 재주가 없는 사람이 바느질을 잘할 수 있도록 도와준다고 하지는 않았다.

04 ⑤

규중 부인의 질책에 감투 할미가 사죄하고 이를 부인이 받아들이면서 그들 간의 갈등이 해소되는 양상을 보여 주고 있지만, 새로운 인물의 등장으로 인물들 간의 갈등이 해소되는 과정은 드러나 있지 않다.

05 ⑤

"너와 나는 맡은 일이 같고 더 많은 옷에 참여한다."라고 말한 것은 울 낭자이다.

06 ②

이 글에는 의인화된 사물들이 옷을 짓는 과정에서 서로 자신의 공만 내세우고, 다른 벗을 비난하는 모습이 나타나 있으므로, '공치사만 일삼는 이기적인 세태'를 풍자한다고 볼 수 있다.

01
(1) 홰홰
(2) 컹컹

(1)에는 꼬리를 치는 모양을 흉내 내는 말이 들어가야 하므로 '가볍게 자꾸 휘두르거나 휘젓는 모양.'이라는 뜻의 '홰홰'가 적절하다. '졸졸'은 '작은 동물이나 사람이 자꾸 뒤를 따라다니는 모양.'을, '쿵쿵'은 '크고 무거운 물건이 잇따라 바닥이나 물체 위에 떨어지거나 부딪쳐 나는 소리.'를 나타낸다.
(2)에는 개가 짖는 소리를 흉내 내는 말이 들어가야 하므로 '작은 개가 짖는 소리.'라는 뜻의 '컹컹'이 적절하다. '탁탁'은 '사람이나 물건이 잇따라 쓰러지는 모양.'을, '살살'은 '심하지 않게 가만가만 가볍게 만지거나 문지르는 모양.'을 나타낸다.

02 ②

'이따금'은 '얼마쯤씩 있다가 가끔.'이라는 뜻이다. '때로'는 '잦지 아니하게 이따금.'이라는 뜻으로 '이따금'과 뜻이 비슷하다. ① '자주'는 '같은 일을 잇따라 잦게.', ③ '흔히'는 '보통보다 더 자주 있거나 일어나서 쉽게 접할 수 있게.', ④ '항상'은 '언제나 변함없이.', ⑤ '빈번히는 '번거로울 정도로 거듭하는 횟수가 잦게.'라는 뜻이다.

03 ①

용왕은 거짓말로 자신을 속이려는 토끼를 꾸짖고 있다. 따라서 빈칸에는 '자기의 이익을 위하여 나쁜 꾀를 부리는 등 마음이 바르지 않은.'이라는 의미를 지닌 '간사한'이 들어가는 것이 적절하다.

04
(1) 배필
(2) 수석

(1)의 '배필'은 '부부', '양인', '배우자'와 비슷한 말로 쓰인다.
(2)의 '수석'은 「오우가」에서는 '물과 돌을 아울러 이르는 말.'로 쓰였지만, '물과 돌로 이루어진 자연의 경치. 물속에 있는 돌.'이라는 뜻도 가지고 있다.

05
(1) 바친
(2) 다릴
(3) 채

(1) '바치다'는 '신이나 웃어른에게 정중하게 드리다.'라는 뜻이고, '받치다'는 '물건의 밑이나 옆에 다른 물체를 대다.'라는 뜻이다.
(2) '달이다'는 '약재 등에 물을 부어 우러나도록 끓이다.'라는 뜻이고, '다리다'는 '옷이나 천의 구김을 펴려고 다리미나 인두로 문지르다.'라는 뜻이다.
(3) '채'는 '이미 있는 상태 그대로 있다는 뜻을 나타내는 말.'이고, '체'는 '그럴듯하게 꾸미는 거짓 태도나 모양.'이라는 뜻이다.

06 ②

'길다'와 '짧다'는 서로 반대의 뜻을 가지고 있다. '크다'는 '사람이나 사물의 길이, 넓이, 높이, 부피 등이 보통 정도를 넘다.'의 의미이므로 반대의 뜻을 가진 단어는 '작다'이다. '많다'는 '수효나 분량, 정도가 일정한 기준을 넘다.'의 의미이므로 '많다'와 반대의 뜻을 가진 단어는 '적다'이다.

07 ㉢

양생과 여인이 부부의 연을 맺는 장면으로 보아, ㉢의 뜻이 가장 적절하다. '백년해로(百年偕老)'는 '부부가 되어 한평생을 사이좋게 지내고 즐겁게 함께 늙음.'이라는 뜻이다.
㉠은 '지피지기(知彼知己)', ㉡은 '동병상련(同病相憐)'의 뜻이다.

08 ㉢

밑줄 친 속담과 같이 ㉢은 '아무리 어려운 경우에 처하더라도 살아 나갈 방도가 생긴다는 말.'이다.
㉠은 '쉬운 일이라도 협력하여 하면 훨씬 쉽다는 말.'이다. ㉡은 '어떤 분야에 대하여 지식과 경험이 전혀 없는 사람이라도 그 부문에 오래 있으면 얼마간의 지식과 경험을 갖게 된다는 말.'이다.

초등 수능 독해

초등부터 수능까지 필수 문학 작품을 학습합니다.

대표전화 1544-0554
주소 서울특별시 구로구 디지털로33길 48 대륭포스트타워 7차 20층
협의 없는 무단 복제는 법으로 금지되어 있습니다.